感じのいい声・
声はつくれる

# 迷ったら声で決める！

ボイストレーナー・声楽家
清川永里子
kiyokawa eriko

さくら舎

# まえがき～あなたは、「声」で判断されている！

あなたには、次のような経験はないでしょうか？

●絵から抜け出たような美女の実際の声を聞いたら、凄いダミ声だった。
●電話の声を聞いて、実際会ってみたら、イメージと全然違う声と顔だった。
●強面《こわもて》のお兄さんの声が、じつは凄くかわいい声だった。

絵から抜け出たような美女の声がダミ声だったら、「え？　こんな美女が、こんな声？」「まさか、超ヘビースモーカー？」または「過去に何かあったの？」なんて思うかもしれませんね。

電話の声と実際会った時のイメージが違っていたら、電話でついたイメージはしばらくぬぐえないかもしれません。

強面のお兄さんの声が、じつはかわいい声だったら、「え？　もしかしたら、やさしい人なの？」「こんな顔だけど、家では、子猫ちゃんラブ～とか言っていたりして？」と想像してしまうでしょう。

このように、声と見た目がイメージ通りでないと、なんだか混乱してしまう事が多々あります。

**「ファーストインプレッションは見た目が9割」とよく言われますが、じつは見た目と同じくらい、声も判断されていると言っても過言ではありません。**

なぜなら、声には個人情報が満載で、高い声、低い声、太い声、細い声、良く通る声、そうでない声など色々な要素が含まれていて、その一つひとつが、その人の個性になっているからです。

逆に、**「声を変える事ができれば、あなたの印象もガラッと変わる」**と言えるのです。

私は音楽家・声楽家という立場から、よく人の声について、

「洋服を変えたりメイクをしたりするように声に気をつけるだけで、思い通りの印象はつくれますか？」

「声を聞くだけで人の心理状態や健康状態、または過去までわかりますか？」

などと聞かれますが、もちろんＹｅｓと答えます。

**声をコントロールすれば、印象、気持ち、人間関係、自己肯定感を変える事ができ、それらを、日常の様々なシーンに活かせる**からです。

また、今まで声の扱い方がわからなかったり、長時間話したり歌ったりすると、声がかすれる等のお悩みも、**ちょっとした知識とメソッドを身につけるだけで、どんな人でも、喉《のど》に負担なく、良く通るハリのある良い声に変える事ができる**のです。


本書は、そんな声の持つ力を知り、メソッドを実践する事で、あなたの声を魔法のように変えていく実用書になっています。

本書には、声の持つ力の特徴や、良い声を出すには、どのように身体を使えばいいのか、さらに、シーン別の有効な声の使い方や、相手の事が理解できる声の聴き方、そして、声に関する面白話まで様々な事が書かれています。

この本を手に取られた全ての方が、自分の声に自信を持ち、そして「人に選ばれる声」を得る事ができたら幸いです。

目次◆迷ったら声で決める！
——感じのいい声・力強い声はつくれる



## 第1章　声は、ごまかせない！

## 第2章　声だけでわかる！

## 第3章　あなたの声はどんどん良くなる！

## 第4章　あなたの知らない声の不思議な話

## 第５章 気になるあの人の声をプロファイリング

# 迷ったら声で決める！

## ——感じのいい声・力強い声はつくれる

# 第1章　声は、ごまかせない！

# 顔は化粧できても、声は化粧できない！

突然ですが、あなたは自分の「声」に自信がありますか？
そう聞くと、「自分の声って、どんな声だっけ？」と思うかもしれません。
次に、「では、録音した自分の声は好きですか？」と聞くと、「え？　私って、こんな声なの？？？」と思う方が大半だと思います。

このような現象がなぜ起こるのか。それは、人が「自分の声を聞く仕組み」と関係があります。

**通常、空気を伝わって鼓膜を振動させて内耳に伝わる「気導音」と、声帯等の振動が頭蓋骨を伝わり、直接聴覚神経に伝わる「骨導音」が混ざった音を、「自分の声」として認**識しているのに対して、**録音の場合は、「気導音」はそのままですが、「骨導音」の周波数の一部が変化してしまうので、「自分の声とは違うように感じてしまう」**のです。

ですので、自分の声を、よくわからない、とか、自信がないと思うのは当然の事だと言えます。

では、自分の声を変えたい、または、良く聞こえるようにしたいと思う場合はどうすればいいのでしょうか。

例えば、顔の場合は、女性は（最近は男性も）メイクをすれば顔のコンプレックスは解消されるでしょう。最近では、整形メイクなんていうのもあり、別人のようにメイクで変身する事も可能です。

しかし、**「声」の場合は、喉の中にメイクをする事はできませんし、もちろん声帯（喉の中の筋肉）の形を変える事もできません。**

乱暴な言い方をすると、**顔はメイクや整形でごまかせるけれど、声はごまかす事ができないのです。**

だからこそ、**「声を聞くと、その人の本質が丸見えになり、喉はその人の素が一番わかりやすい場所」**であると言えるのです。

前述したように、自分の声（喉）は変えられません。

ですが、**自分の声を活かす事はできます。自分の声を活かすというのは、「自分の声の魅力をアップさせる」**という事です。

自分の声を活かすためには、ちょっとした練習が必要ですが、それによって、必ず声はみるみる変わっていきます（練習の方法は第3章参照）。

そのためには、まず、**活かすための自分自身の声を知る事**です。

メイクをする時は自分のスッピン（ノーメイク）の顔を見て、例えば、目をもう少し大きくしたいとか、もう少し小顔にしたいとか、まずは、鏡の前で自分の顔と睨めっこしますよね。そして、その変えたい部分のメイクを念入りにします。

**声も同じです。**

**まず「自分の声を知り、自分の声の気になる部分を知る」事から始めます。**

自分の声は、高いのか低いのか、聞きやすい声なのか、そうでないのか、もう少し響きが欲しいのか、または響きすぎているのかなど、様々な事が見えてくるはずです。

それを知るためにも、まずは**「自分の声を録音してみる」**事をお勧めします。

最初は、「え？　私って、こんな声？？？」と驚くかもしれません。ですが、その**「録**

**音した声こそが、他人がいつも聞いている、まぎれもないあなたの声」**なのです。

まずは、鏡を見るように、自分の声を録音して聞いてみましょう。そうすれば、あなたの声は少しずつ変わっていくはずです。

## 「見た目＋《プラス》声」であなたの印象は決まってしまう

前述しましたが、**声には、多くの「個人情報」が含まれています。**高い声、低い声、細い声、太い声、大きい声、小さい声、潤っている声、しゃがれている声……声には様々な特徴があり、それらはその声の持ち主の個性を表しています。

相手を判断するために、**人は見た目から得る情報以外にも、声を聞いて、耳からもたくさんの情報を得ています。**

**その情報は脳で処理され、目で見た情報とともに、あなたの印象は決定付けられ、判断されているの**です。

ちょっと特殊な声の人をよく覚えているのは、そのためです。

声というのは、あなたの重要な判断材料になるにもかかわらず、今日の日本では、ファーストインプレッションと言えば、洋服やメイク、仕草や笑顔のつくり方など、外見に注目してばかりで、声の持つ重要性は忘れられているのが現状です。


しかし海外では、声はその人を表す重要な判断材料という事がすでに理解されていて、政治家や話す仕事をする人、営業や接客業などの人々は、自分の印象を良くするために、積極的に声のスペシャリストから指導を受け、声の力をビジネスに活かしています。

例えば政治家は、選挙の度に演説をしたり、有権者と話したりします。

ですが、いくら見た目が良くても、素晴らしいマニフェストがあっても、もし、声がガラガラ声で、かすれていて、良く通らなくて、しかも小さな声しか出せない人だったら、どう思われるでしょうか。

聞いている人は、その声の悪さに気を取られて、演説が耳に入って来ないかもしれませんし、見た目と声のギャップに驚くかもしれません。または、声が小さくて聞き取れない人もいるでしょう。

政治家の演説する内容は、声に問題があると、相手には伝わらないのです。ハッキリ言って、凄く損をしていますし、その声の悪さは政治生命に関わっていると言っても過言ではありません。

このように、声で損をしている、と感じる人はたくさんいます。**ファーストインプレッションは、見た目も大事ですが、「声」も同じくらい見られて（聞かれて）いる**のです。

## 「骨格、身長、姿勢」を見るだけで、その人の声がわかる!?

**「その人の見た目だけで、大体どんな声か予測できる！」**と言ったら驚きますか？

というのも、**「声は身体という楽器を通って、音を出しているので、その楽器の形（身体）を見れば、どんな音が出るかが予測できる」**のです。

ですから、声を聞く前に、顔や身体を見るだけで、どんな声の持ち主なのか、大体わかってしまいます。

では、順を追ってその予測の方法や、良い声を出す人や歌の上手な人は、どんな見た目なのか、見極めるべきポイントを見ていきましょう。

**●ポイント①「骨格」**

人の骨格は、楽器の骨組みと同じで、一番大事なポイントとして、以下の特徴がある人が良い声の持ち主なので、まずは顔をよく見てみましょう。

・顔の形は丸顔
・頬骨が出ている
・エラがはっている
・目と目の間の鼻梁が盛り上がっている

**●ポイント②「身長」**

声と身長は関係あるの？　と思われる方もいるかもしれませんが、この「身長」も重要なポイントです。

じつは、身長と声帯の長さは比例していて、**身長の低い人ほど声帯は短く、身長の高い人ほど声帯は長い**のです。

そして、声帯の長さは声の高さに比例していて、**短い人ほど声は高く、長い人ほど声は低い**のです。

つまり、「**身長の低い人ほど声は高く、身長の高い人ほど声は低い**」のです。

「あ！　この人、声が低いな！」と思う人は、大体、身長がひょろ～っと高いものです。例に挙げると、俳優の阿部寛《あべひろし》さんがその典型です。

そして、声の高い人の例として、アニメ『もののけ姫』の主題歌を歌った、米良《めら》美一《よしかず》さんを思い出して下さい。彼はとても声が高く、身長は低いです。

もちろん、例外もありますが、このように、身長と声帯は比例しているので、身長を見るだけでも大体の声の高さは想像できるのです。

**●ポイント③「姿勢」**

姿勢の良い人は大抵声が良い、または歌が上手です。その理由としては、「**姿勢が良いと、声の通り道がしっかりできる**」からです。

詳しくは第３章でお伝えしますが、例えば、お腹から口にかけて、身体の中に太いパイプが縦に一本通っていると、イメージして下さい。

そのパイプを息が通って、その息が声になります。

姿勢が良い人はそのパイプが曲がらずに真っ直ぐなので、声が通りやすく、出しやすいというわけなのです。

## ●スペシャルポイント「顎がしゃくれている」

そして最後に、これは、私の今までの経験からわかった事なのですが、かなりの確率で、**「少しでも顎がしゃくれている人は、歌が上手い」**と言えるでしょう。または、これから歌を習う場合、すぐに上達します。

私は顎がしゃくれている人を見かけると、いつも羨ましいと思っています。しゃくれている人がなぜ歌が上手いかと言うと、顎が前に出ている分、パイプの入り口が広く、声を響かせやすいからではないかと思っています。

このように、見た目だけで、大体の声は予想できます。あなたも、そんな観点から、人の顔や身長を見て、「声を読む」事ができるようになると、人の声を予測できて面白いかもしれません。

## ビジネスで成功する声は「もう一度聞きたい声」

ある住宅展示場に行った時の話です。私は、家を建てる事になりましたが、初めてなので何の知識もなく、大規模な住宅展示場に行くのも初めてでした。

そんな初心者の私は、展示場が夕方5時に閉まるという事も知らず、また、展示場巡りは時間がかかることも知らず、ゆっくりとお昼過ぎに行ったので、時間の関係で、３つのメーカーしか行けませんでした。

初めての展示場見学のせいか、３つの会社が説明している事は、全て同じに聞こえました。断熱材や耐震性、そして、その会社の実績についてです。正直に申しますと、今も何を話していたのか、さほど覚えていません。

ですが、**3社にそれぞれ違った点がありました。それは、担当者の「声」です。**

A社の担当者は、声が物凄く良く通る声で、学生時代に何か声を使う部活でもしていましたか？　と質問したいくらいの声でした。話している事は、至極普通、可もなく不可もなくといった感じです。

B社の担当者は、モデルハウスに入った私達家族を冷やかしだと思ったのか、「自由に見て下さいねー」と、よどんだ声で言い、どこかに消えて行きました。

そして、たまたま入り口にいた、若い女性（たぶんプレゼントを配るバイトの人）と、世間話のついでに、土地をすでに購入済みなのですが、家を建てる気力というか、何もわからなくて来たんですよと話しました。

その5分後、自由に見ている私達家族のところに血相を変えて飛んできた先ほどの担当者は、明らかに声がうわずっていました。

冷やかしではない事に気がついたのでしょう。それからは、まるで声のトーンが違いました。人って、やる気が出ると、声がこんなに変わるものなのだと驚いたものです。

C社の担当者は、一言でいうととにかく話し方が「チャラい」人でした。まだ、学生気分が抜けないのか、ノリでコミュニケーションを取るタイプなのか、とにかく声が高く、早口で喋ります。申し訳ないですが、集中して話が聞けるタイプではありませんでした。

さて、この3社の中で、信頼できると感じるのは、どの会社でしょうか？

言わずもがなですが、A社ですよね。

言っている事は、３社とも変わりありません。しかし、家を建てるという大きな買い物をする時、人が一番大事にしたいのは、信用や信頼関係なのではないでしょうか。

家を売る担当者は、何も家の事がわからない、初心者のようなお客には、声と話し方で、信用度を上げていくしかありません。

ですので、**ビジネスには「声」がとても大事**なのです。

後日、このA、B、C社ともに、本社で打合せになりましたが、やはりA社への信頼は高く、そして、またあの良い声の人に会えるという、なにかプラスアルファーな楽しみもありました。

誰でも、不快な声の人と会いたいとは思いませんよね。

**「また会いたい」と思わせる声こそが、ビジネスには大切で、求められている声**だと思います。

「たかが声、されど声」。声の力で、何千万円のお金が動くのも、また事実です。

## 良い声、響く声をつくるには、空間と音響を利用する

声楽家が舞台に立つ時、その場所に行ったら、まず一番にする事は何だと思いますか？

それは、舞台の上での、「自分の立ち位置」を決める事です。

例えば、ソロコンサートの時は、舞台の上には伴奏用のピアノが1台あるだけなので、その前で歌えばいいのでは？　と思うかもしれません。

ですが、舞台の中央に立つだけでも、舞台の前のほう（観客側）に立つのか、奥のほう（ピアノ側）に立つのかで、声の響きが大きく変わってくるので、そのコンサートの成功率にも大きく関わってくるのです。


ですので、声楽家は舞台に着いたら、まず、舞台の上で拍手するように手を打ちながら、歩いて回ります。

何をしているのかというと、その箱（コンサートホール）の、舞台のどの場所が一番響

くのか、当たりをつけているのです。

そして、声を出してみて、本当にその場所が、自分の声に合っている場所なのかを確認し、ビニールテープで舞台上に印を付けます。そうする事で、開演後に間違いなく、その場所に立てるようにしているのです。

私も人前で歌う時はそうしますし、それだけ歌う位置というのは大切なのです。

セミナー講師など、登壇する人に聞かれる事で一番多いのは、

「長時間話していると、喉が痛い」

「声が良く通らなくて、すぐ疲れてしまう」

などのお悩みですが、これらのお悩みは、声楽家の手法を使えば、大体軽減できます。

そのようなお悩みのある方には、私は、いつも2つのアドバイスをしています。

## ●「箱の形状」を知ろう

まず、登壇する方々は、場所は選べません。誰かが用意してくれた場所で登壇されると思います。

ですので、まず**その部屋のどこで話せば、自分の声が楽に出せるのかを知る**必要があり

ます。

それには、前述したように、用意された部屋で手を打ちながら歩き回り、手の音が一番響く場所を探るのです。

そして、その場所を見つけたら、今度は「こんにちは」と喋ってみて、その言葉の音の高さで、「こんにちは」の「わ」の音だけを取り出し、「わ」「わ」「わ」と言いながら、部屋を歩き回ってみます。

そして、先ほど手を打って一番響いた場所が、「わ」と言っても一番響く場所なのか、確認してみましょう。

手で打って一番響く場所と、声の「わ」で一番響く場所は必ず一致します。

そうして見つけた場所が、一番あなたの声が響く場所なので、マスキングテープなどでその場所に印を付け、そこで話すようにしましょう。

## ●「箱の素材」を知ろう

あなたの声が響く場所が見つかったら、次にする事は、その**場所の素材を知る**事です。

コンサートホール等は声や楽器の音が響くように、壁材や床材を選んでつくられているので、さほど素材に対して気にする必要はありません。

ですが、登壇する時の部屋は、そのように、声や音を考慮してつくられてはいないので、登壇する側で気をつける必要があります。

**気をつけなければいけないのは、その部屋の備品や窓や壁、床の素材**です。それらを見極める事で、もっとあなたは楽に声を出す事ができます。

・**壁：ツルツルした素材のほうが、より声は反響します。**
壁紙の場合は凸凹がないほうが良く響きますので、そのような壁の近くを選びましょう。

・**床：絨毯は音を吸収してしまうので、音は響きません。**
会場が絨毯敷だった場合、ちょっと残念。今日は喉が疲れるかもと覚悟しましょう。しかし、床が板張りや石（大理石など）だった場合は、ラッキーだと言えるでしょう。

・**備品：大小関係なく、プラスチック製品は音が響きません。**
近くにある場合は、気をつけましょう。そして、特に注意してほしいのが、クーラーなどの空調機です。天井などに設置されている場合が多く、その下で登壇すると音の響きを邪魔されてしまいます。もし、登壇位置が空調機の真下だった場合、少しでもいいので前後左右に登壇位置をずらしましょう。

基本的にはツルツルとした素材の近くで登壇するのなら、音は反響するので大丈夫です。しかし窓の近くだけは声が響かないので気をつけましょう。

このように、小さな事ですが、有利な場所を見つける事で、あなたの喉を大きく助けることになります。ぜひ、声楽家の手法を、あなたも使ってみて下さい。

## 声を聞けば相手の健康状態、心理状態もわかる

今から20年以上前、私が音大生だった頃、オーストリアのウィーンで歌を習っていた女性の先生は、まるで魔法使いのようでした。

レッスンに行き、先生の前で歌うと、「えりこ、今、恋愛しているでしょう?」とか、「今日生理でしょう?」とか、心理状態や、健康状態を色々言い当てられたりして、なんで先生には、私の事がわかるのだろう? 先生って、魔法使いかしら? と思ったものでした。

しかし、なんのことはなく、今なら、私も同じ事ができます(笑)。声の変化にはカラ

クリがあり、それを先生は知っていたのでした。

魔法のカラクリとしては、恋愛しているかがわかったのは、声に艶が出て、抒情的に歌えていたためですし、生理なのがわかったのは、生理中は声帯が充血したり、むくんだりしているため、少し太いような、いつもより若干低い声が出るからです。

例えば、友人の顔色がいつもと違い青白いと、私達は「顔色悪いね」と言って、顔色を読む事があります。**顔色と同じで、声でも、健康状態や心理状態を読み取る事ができる**のです。

身近なところで言うと、いつも聞いている人の声が少し枯れていたり、ガラガラ声になっていたりすると、あれ？　風邪ひいた？　または昨日、飲みすぎたの？　と思うでしょう。このように、声には健康状態や心理状態が出ていて、相手を知る判断材料になるのです。

声がいつもより高い場合は、緊張して少しうわずるのが原因です。人前で話す場合、あがってしまうと声が高くなります。そして声が低くなる場合は、相手に、自分をより信頼してもらいたい時が多いでしょう。

話すスピードがいつもより速くなってしまうのは、緊張している時や相手に自分の意思を伝えたい時が多く、声の揺れは動揺している時に起きやすいものです。

声のハリには、2つの判断基準があります。

1つは**声のハリには年齢が出やすく**、年をとると声帯の筋肉に衰えが出るため、声のハリを聞くと、電話の声だけでも大体の年齢がわかります。

そして、声のハリでもう1つわかる事は、**健康状態**です。風邪や病気の時で、喉を傷めてもいないのに、声が出にくくなる事はありませんか？

それは、じつは腹筋に関係しています。病気でお腹に力が入らない（または身体に力が入らない）ので、息を勢いよく喉に送れず、声にハリがなくなってしまうからなのです。

このように、声（喉）には、身体や心の様々なサインが出やすいのです。

人の声も自分の声も気をつけて聞いてみると、相手や自分の健康状態や心理状態を知る事ができ、それを上手に利用できれば、あなたも魔法使いや占い師のように、「今、恋愛しているでしょう？」なんて、ズバリ言う事も可能になります。

# 声で得する人は口角を上げ、口を開けて話す

「わ！　イケメン！」と思い、目を奪われる事があるように、声も、「わ！　良い声！」と、耳を奪われる事はありませんか？

そういった**良い声の持ち主というのは必ず存在し、そのような声の持ち主は、声で得する事も多い**と思います。

そういった、いわゆる**「イケ声」（イケてる声）の持ち主は、よく見ると、必ず口角《こうかく》を上げ、口をよく開けて話しています。**

「イケ声」の持ち主が話すだけで、そちらを向いてしまいますし、話を聞いてみようと思わせる何かがあります。また、「イケ声」の持ち主は、遠くまで良く通る声でもあるので、近くだけでなく、遠くの人にまで自分の意見を聞いてもらえたり、自分に注目を集める事ができるでしょう。

そんな「イケ声」とは反対に、**声で損している人**というのも、また存在します。そんな人は、よく見ると、**必ず口角が下がり、口をよく開けないで話しています。**

口角を下げて喋ると、ボソボソと喋る印象があり、また口角を上げていないので、笑顔の印象も少なく、暗いイメージで見られがちで、自信がないようにも見えてしまいます。

そして、口角を下げて、小さな口で話すので、もちろん遠くまで声は通らず、自分の意見は狭い範囲でしか聞いてもらえません。

これだけでも、十分、声で損していると思うのですが、さらに、このような声の出し方をしている人は、喉全体の筋肉や声帯の筋肉を十分に使わずに声を出している可能性が高いので、高齢者ですと喉の筋肉が弱って、誤嚥《ごえん》性肺炎などの危険性もグッと上がってしまいます。

**「声をしっかり、ハッキリ出すというのは、健康効果もかなり高い」**のです。

こうして見てみると、ただ、口角を上げるか下げるか、口を大きく開けるか閉じるかの、ほんの些細な事ですが、それらが自分や他人に影響する事は、とても大きいと思います。

逆に言えば、ただ口角を上げて、口を大きく開けて話すだけで、得する事はたくさんあります。

では、そのように、日々気をつけて生活できればいいのですが、四六時中、口角の事を考えながら声を出すというのは難しいと思います。

そんな時は、日常生活で、**「歌を歌う習慣」**をつける事をお勧めします。歌を習ったり、お友達とカラオケに行くのでもいいですし、家の中やお風呂の中での鼻歌でもかまいません。

**歌を歌う習慣をつけると、口角は自然に上がりますし、口も大きく開けられるようになります。そして、歌を歌うという事は、喉の筋肉や声帯の筋肉を鍛える事でもあるので、誤嚥性肺炎なども防ぎ、健康効果があります。**

さあ今日から、歌を歌い、声で得する「イケ声」を目指してみましょう。

## リズム・メロディー・ハーモニー。人間関係も「音楽の三要素」でできている

音楽を奏でる事と、人間関係を円滑に営む事はとてもよく似ています。
「音楽と人間関係？　何が関係あるの？」と思われる方もいるでしょう。しかし、**「音楽の三要素」**（リズム・メロディー・ハーモニー）には、人間関係を円滑にするヒントがたくさん隠されています。

例えば、歌を歌うという事を例に、人間関係に当てはめてみましょう。歌うという事は、リズムと軸になるメロディー、そして、声を合わせるハーモニーを使います。

### ●リズム（速度）

歌う時は、誰でもリズムに気をつけて歌います。リズムがぐちゃぐちゃだと、聴いているほうも、歌うほうも、気持ちが悪くなりますよね。

リズムは、速すぎても遅すぎてもいけないですし、また、意図的にリズムを操作して声

を出すこともあります。

例えば、歌を歌う時では、わざとリズムをずらす事で、ちょっと上手く聞かせるなど、リズムを操作する事で色々な歌い方ができます。


**人間関係の場合、リズムとは、強弱を含む自分の生き方を指します。**客観的に自分の中のリズム（生き方）を知れば、人生の歩み方や目標を知る事も可能です。

また、他人のリズム（他人の生き方）に惑わされないように生きるという意味では、自分のリズムはとても大切になってきます。

**●メロディー（軸）**
歌を歌う場合、メロディーはその曲の一番大切なポイントです。メロディーは、伴奏や他のパートの歌に負けてはいけません。

人間関係や人生において、自分のメロディー、つまり**自分の軸というのは、ブレてはいけないですし、惑わされてもいけない、一番大切な部分**と言えるでしょう。

**●ハーモニー（調和）**

歌を歌う場合、メロディーも大事ですが、他のパートとの調和、つまりハーモニーは、その曲の出来栄えを左右すると言っても過言ではありません。他人に合わせて、綺麗な曲を奏でるために、ハーモニーはとても大事です。

人間関係も、**人との調和、ハーモニーはとても大切で、自分中心でも、他人を重視しすぎても上手くいきません。**

・リズムは、自分の人生の速度やテンポ
・メロディーは、自分の人生の軸
・ハーモニーは、他人との調和

音楽と人間関係は、このようにたとえることができ、音楽の三要素が大切という点ではとてもよく似ています。

これらの類似点を知っていると、人間関係にも音楽の三要素を活かし、音楽を奏でるように、自分の音楽（人生）も上手く演奏できるでしょう。

# 一瞬で心を掴む、「ボイスバイブレーション」とは

「この人、声が良い！」「この人の声は好みだ」と思う事は、多々あると思いますが、では、「それは、どうして良いと思うのですか？」「なぜ好きなのですか？」と聞かれた場合、大抵は、「なんとなく……」という漠然とした答えになるのではないでしょうか。

その感覚は、目で見て、「なんとなくこの顔が好き！」と思う時の感覚と似ていると思います。この感覚も「なんとなく……」ですが、顔も声も、一瞬で心を掴み、好きか嫌いかを判断できるという点では同じです。

そんな「なんとなく」な判断ですが、じつはそれには、それぞれに理由があります。
一説によると、顔の好みは、自分のＤＮＡが自分と同じ遺伝子でない場合は好きと感じ、または、女性の場合は子孫を残すために自分のＤＮＡと合うかで判断しているとか。

**声にも、好き嫌いを判断する理由があり、それは、無意識に感じている、声の「振動数」（ボイスバイブレーション＝周波数）に合致しているから**なのです。

一般的に振動数とは、1秒間に声帯が何回振動するかによって決められています。振動数が多いほど声は高く、振動数が少ないほど声は低いので、女性の声のほうが男性の声より振動数は多いと言えます。

振動数の単位は、ヘルツという単位で表されます。

例えば、

・犬の鳴き声　250ヘルツ
・女性の話し声　1000ヘルツ
・男性の話し声　500ヘルツ
・ソプラノ歌手の歌声　2000ヘルツ
・鳥の鳴き声　2000ヘルツ

に大体なっていて、振動数が違うというのがよくわかります。

この、空気の中の振動数こそ、声の判断基準になっているので、声の好みは振動数が多いのが好きなのか、少ないのが好きなのかで判断されているのです。

醤油顔が好きとか、ソース顔が好きというのは、世の中でよく聞きますが、声の好みも、じつは「なんとなく」で決まっているのではないので、自分の好みの顔を知るように、好みの声をボイスバイブレーションで探るのも、また面白いかもしれませんね。

## 声の出し方しだいで、自分の思いが相手に届く

この章では、主に、「声は変える事ができる。声には見えない力がある。そして、声によって、あなたはもっと魅力的になれる」という事を中心にお話ししてきました。

良い声になる事で、

- **自分の意見に耳を傾けてもらいやすくなる**
- **遠くまで良く声が通る**

**・自分のイメージも良くなる**
**・健康効果も期待できる**

などのメリットがあり、それは、あなたの魅力をアップさせる事でもあります。

このように声には色々な力がありますが、声を変えたい、声を良くしたい本当の理由は、相手に**「心に響く声で思いを伝えたいから」**ではないでしょうか。

コンピューターの声に、人を癒す力はありません。人間や生き物の声だけが、人を癒す事ができるように、人の（動物の）声には、人の感情に語りかける力があります。

なぜなら、コンピューターの声は機械がつくっているのに対して、人の声は、息と喉でつくっているからです。そして、人の声は、コンピューターのように正確でなく、声のゆらぎ等の誤差がさらに声に味を出しています。

人間には、指紋と同じく、「声紋」という、声の指紋のようなものも存在します。声も指紋のように、一人として同じ声はありません。

指紋のように、一人一人の声が違い、あなたという人間をつくっています。ですので、あなたの声は、あなただけの声なので、自分の声を大切に思っていただきたいのです。

なりたい自分の声はどんな声ですか？

これから、お話しする章には、あなたのなりたい理想の声になるためのメソッドがたくさん詰まっています。自分の声を良く活かすことで、すぐにあなたの声は変わっていくでしょう。なりたい自分の声をイメージしながら、それらのメソッドをぜひ実践してみて下さい。

# 第2章 声だけでわかる!

## その人の声が嫌いだと、評価はどんどん下がる!?

知り合いのEさんの職場での事。Eさんは、同じフロアで働いている別の部署の女性の声が最初なんだか気になり、その内にその人の声が遠くで聞こえるだけで嫌な気持ちを抱くようになりました。

そして、とうとう、その人の声どころか、その人自身の事も嫌いになってしまったそうです。

Eさんは、その人と深く関わった事がないので、どんな人かよく知らないのだと言います。しかし、声がどうしても好きになれないだけで、あまり親交のないその人自身までも嫌いになってしまったのでした。

ここまで極端に、声だけで人を嫌いになってしまう事は多くはないかもしれませんが、「どうしても、この人の声が好きになれない」という事は、誰でも多かれ少なかれあるでしょう。

その人を嫌いになってしまう理由として、「声」が原因になる事もありますが、その逆で、「声」が好きだから、その人を好きになるという事もあると思います。

このような、声の好き嫌いに理由はなく、自分の好みという一言で済まされてしまうかもしれません。

しかし、人は見えない色々な力を秘めているのと同様に、声も色々な力を秘めています。そして、それらを注意して聞き分けられれば、様々な事がわかるのです。

声に対してのアンテナを常にはっておけば、自身が色々な事に迷った時には、声によって決める事ができるでしょう。

この章では、そのような声の不思議について、迷った時の判断方法、また自分の声をメンタルに活かす方法など、様々な声についての活用法をお話ししていきたいと思います。

**迷ったら声で決める！**

自分のアンテナを最大限に使って、声で色々な事を判断し、決めていきましょう。

# 店員さんの声を聞くだけで、品物の良し悪しは、すぐにわかる！

「いらっしゃいませー！」
「こちらのワンピースは春の新作で、今日入ってきたんですよ～。裾のところがフワッとしていて、今年っぽいデザインですよね。花柄も今年のトレンドです。お客様は、今日はどんな服をお探しですかー？」
入店1分以内で、このように声高にまくし立てられた事はありませんか？

買い物をしていると、店員さんからの声かけはよくあること。店員さんのあまりの声の高さと勢いに嫌気がさし、一気に購買意欲がなくなり、早々にお店を出てしまう事もあると思います。

そんな時は、お店の店員さんの声に気を取られていたので、見たかった肝心のワンピースはよく見られず、あまり覚えていません。

一方、一流店では、「いらっしゃいませ」という声も穏やかで、声の高さもどちらかと言えば低めな事が多く、品物を見ていても、店員さんは積極的には話しかけてきません。話しかけてきたとしても、一言二言でしょう。

そして、こちらが聞きたい事があって話しかけてみて、ようやく会話が始まります。

このようなお店は、店員が必要以上に声を使うと、買い手の購買意欲が失せてしまう事を知っているのです。そのため、こちらが何か質問するまでほとんど喋りません。そのおかげで、買い手は集中して品物を吟味する事ができるのです。

これらの差は、どうして生まれるのでしょうか。

それは、**「売り手が品物に自信があるか、ないかによって、声を使う多さや高さが変わってくる」**からなのです。

売る品物に自信がない場合は、売るために、または、その品物を良く見せるためにセールストークが必要で、買い手にこの品物を買うべきだと信じ込ませようとして、声とトークの力でなんとかしようとします。そのため、伝える事に必死になってしまい、声も高めになってしまいます。

それに対して、一流店では品物に自信があるため、声とトークの力を使う必要がありません。それよりも、買い手がゆっくりとその品物を見る時間をつくろうとします。

それは、買い手がじっくりとその品物を見る時間があれば、良いものだという事がわかるはずだという自信があるからでしょう。そのような、**ゆったりとした時間を邪魔しないために声は低めになる**のです。


このように、店員さんの声を聞くだけで、品物の良し悪しはすぐにわかります。

皆さんも買う品物に迷った時は、まず、店員さんの声の出し方に注意して聞いてみると、一流店か、そうでないお店なのかを見極める事ができ、良い買い物ができると思いますよ。

## 作り物の声を出している人は、自分の本心を隠している!?

詐欺師に引っかかった人や、詐欺師を見た事のある人は、

「え？　まさか、この人が詐欺師？　だって、あの人とても腰が低いし、良い人そうだし、

そんなふうに見えなかった！」

と言います。

それは、**詐欺師というのは、本当の自分を隠して、相手に信用されるために、自分をつくっているから**なのです。


さて、詐欺師の声って、どんな声か知っていますか？

たぶん、大体の人が思い出せない、または想像がつかないと思います。

その理由は、詐欺師が作り物の声を出しているからなのです。

声とは不思議なもので、本心を隠していると、無意識に作り物の声になり、自分を隠そうとします。

詐欺師は声もつくっています。

**声には、自分の本質が現れやすい事を無意識にわかっているのでしょう。**

例えば、エレベーターガールは、一様に同じ声を出すように訓練されていますよね。その彼女たちの本心はわかるでしょうか？　同じような声を出すので、彼女たちの個性や感情は見えてこないと思います。

詐欺師も同じ。作り物の声を出すことで自分自身を隠そうとし、個性を出さないようにしています。

営業マンにとっては、声や態度で印象づける事がプラスになりますが、詐欺師にとっては印象づける事は、もし詐欺がバレた時には、逮捕にもつながるので、マイナスになってしまいます。

詐欺師のように、**本心を隠している人は大きな声では喋らず、ぼそぼそと喋るので、その声を思い出せないという特徴があります。**

詐欺師とまではいきませんが、日常生活においても、その人が信用できるかできないか迷う事があったら、声を思い出してみましょう。

思い出せないのなら、それは、その人が本心を隠しているのかもしれません。

## 「自分の声」で自分に語りかければ、迷いは晴れていく

今まで、声を使って色々な事を知る事や、他人とのコミュニケーションの方法などをお

伝えしてきましたが、声にはもう一つ大事な使い方があります。

それは、**自分との対話**です。

**「自分の声」は、自分自身を知るため、または、自分を助けるという使い方もできる**のです。

例えば、自分自身の事がわからなくなったり、人間関係で悩んだり、何か進路で迷ったりした時には、少し恥ずかしいですが、鏡を見ながら、自分自身に自分の声で話しかけてみて下さい。

自分の顔と声で自分に語りかける事は、最初、ちょっと恥ずかしかったり、慣れないのでビックリするかもしれませんし、ちょっと気持ち悪いと思う事があるかもしれません。

しかし、**自分の声で自分と対話する事は、自分を落ち着かせ、そして迷いからも抜け出す手助けをしてくれます**。

悩んでいる時、じつは自分の答えというのは、心の中ですでに決まっているものです。

**自分の顔と声で対話をしていくと、その答えが自分の声によって表に出てくる**のです。

自分の声というのは、自分の現状をすんなりと受け入れ、そして、自分の心の中も表に出せる不思議な力を持っています。

ですが、自分との対話をする時の注意点が2つあります。

**・自分一人だけの静かな時間をつくり、その時に行う事**
**・決してネガティブな言葉は使わない事**

これらを守らないと、自分との対話は、逆効果になる事もあります。
迷ったら、自分の顔と声で自分に話しかけてみて下さい。
きっと、ありのままの自分を自然に受け入れ、迷いも晴れていく事でしょう。

## 「言霊」を使って、願望を叶えよう！

あなたは、「言霊《ことだま》」という言葉を知っていますか？
一般的には、日本において言葉に魂《たましい》が宿ると信じられた霊的な力の事です。

この言霊というのは、声に出した言葉が、現実の事象に対して何らかの影響を与えると信じられ、良い言葉を発すると良い事が起こり、不吉な言葉を発すると凶事が起こるとされています。

それだけ、声に出した言葉には力があり、その力を借りると、色々な事ができると信じられているのです。

この言霊を上手く使って、おまじないのように、目標達成に近づく方法があります。それは、**自分のなりたい姿を言葉にして、自分の声を使って毎日つぶやく**のです。

というのも、言霊の効果を出すためには、声に出すことが重要で、願望を思い続けているだけではなかなか実現しません。

なぜなら、自分の声で言葉を発し、その言葉を自分の耳で聞く事によって、潜在意識に語りかけ、自分の心により届きやすくしているからです。

**目標を達成したいのなら、その目標の言葉を自分の声の力を借りて、自分に語り続ける事がとっても大切なのです。**

ただし、**プラス言葉で目標を言う事がとても大事**で、マイナス言葉を使っていると、それだけで目標達成は遠のきます。

目標を言葉にするとともに、「いつも元気に仕事ができます！」とプラス言葉を口にしていると、いつも元気で仕事ができ、やりたいことが叶っていきます。

でも、「なんでいつも私ばっかりやらされるの？」と不平・不満を言葉にしていると、目標を達成するどころか、そういうマイナスの環境をつくってしまうのです。

自分の声は最高のおまじないです。ぜひ言霊を使って、願望を実現して下さい。

## 品格は声でつくれる。声を整えると立ち居振舞いも変わってくる

「あの人、品があって素敵な人ね」

と思う人がいたら、**その人の声に注目**してみて下さい。その人は見た目だけでなく、きっと**声にも品がある**はずです。

人は見た目だけが素敵でも、声に品がなければ、素敵な人とは思いません。

素敵な人と思わせる人は、見た目だけでなく、見えない声にも気を配っているのです。

または、そのような品のある声を自然に体得しています。

**声や言葉には、必ず育ちやその人の生活が出ます。**

まず、**育ちの良い人は、言葉遣いが綺麗**です。それは、小さい時から厳しく言葉遣いについて、親からしつけを受けているからです。

良いご家庭では、親は人前に出ても恥ずかしくないような言葉遣いを子どもに教えています。そして、親自身も言葉遣いはとても丁寧で、それを見て育つ子どもは自然にそれを真似して育ちます。

言葉遣いの悪い人は、親もそのような言葉遣いをしているので、子どもも真似して育ちます。

例えば、大声で下品に喋る人は、「そういう声でないと、家族の中で意見を聞いてもらえなかったから」など、出す声の特徴には必ず理由があるのです。

こんなふうに、言葉遣いと声の出し方には、育ちや生活環境が出るので、聞く人が聞いたら、どのように育ち、今どのような生活をしているのかが、声を聞くだけですぐにわかるのです。

生まれる場所を自分では選べないのと同様に、育つ環境も自分では選べません。そのため、声や話し方に育ちが出てしまうのは仕方のないことです。

しかし、気をつければ、品のある声に一歩近づく事はできます。日常生活において、以下の事に気をつけながら、話す癖をつけてみて下さい。

- **言葉遣いは丁寧に**
- **声は大きく張り上げない**
- **喉で、どなる様な喋り方をしない**
- **落ち着いた声で、ゆっくり話す**
- **高い声で、うるさく喋らない**
- **語尾の音は静かに終わるようにする（例：大きいのね。「ね」の音を静かに終わらせる）**

こうした事に注意すると、必ず声に品が出てきます。声に品が出てくるようになると、自然に自分の立ち居振舞いも変わってくるので、性格までも変わり、人としての品が出てくるのです。

女優のオードリー・ヘプバーンの名言に「美しい唇であるためには、美しい言葉を使いなさい。美しい瞳であるためには、他人の美点を探しなさい」というのがあります。

まさに美しい人が気をつけていた素晴らしい習慣ですね。声の出し方や話し方に気をつけていると、自然と選ぶ言葉も変わってきます。

どんなに見た目を綺麗にしていても、声は正直です。見た目だけでなく、声の出し方にも気を配って、素敵な人を目指してみるのはいかがでしょうか。

## 良い声を出すには、「ハッタリ魂」が大切

演奏家が、舞台で緊張しないために、一番必要な事は何か知っていますか？　それは、「ハッタリ魂」だと私は思っています。

こう聞くと、「何？　ハッタリ？　嘘ってこと？」と思うかもしれません。いえいえ、それは違います。

演奏家は舞台に出てくると、堂々としていて、緊張なんてほとんどしていないように見えますが、舞台袖では、どんなふうだか知っていますか？

舞台袖では、特に若手ですと、人それぞれですが、こんな感じでいます。

・「どうしようー」と言いながらウロウロしている人
・顔面蒼白な人
・なんかピリピリしている人
・ひたすら楽譜と睨めっこしている人
・なんかもう、誰かと話していないと、いられない人
・何かのルーティーンにとらわれている人
・喉を潤すために、ひたすら、ちびちびと水を飲む人（声楽家に多い）

これを見たり、知ったりしてしまうと、「え？　あんなに堂々と演奏していたのに？」と、観客としてはビックリするかもしれません。しかし、舞台袖では、若手はみんなこんな感じです。

そう、みんな緊張しているのです。

ベテランでさえ、少しも緊張しないで舞台に出るという事はできなくて、若い時ほど酷くはありませんが、みな色々な形で緊張は現れています。

では、どうして舞台に一歩出ると、若手もベテランも堂々と見えるのでしょうか。それは、レッスンで先生に常々こう言われているからなのです。

・観客は自信のない演奏を聴きたいと思いますか？
・自信のない演奏は観客に失礼
・あなたの舞台への出方は、あなたのこれから演奏する曲に合っていますか？
・舞台に一歩出たら、あなたは女優
・自分は上手いと思って、舞台に立ちなさい

レッスンでは、演奏だけではなく、舞台に出る心構えも習います。その態度が、たとえ実力が伴っていないハッタリだったとしても、まず、この心構えを習います。

このように、舞台に出るには、「ハッタリ魂」が必要になるのです。

なぜなら、その**ハッタリは、観客に向けてのハッタリだけではなく、時には自分さえも**

**騙してしまう作用があり、自信があるように演じれば、自信に満ちた演奏ができるという相乗効果もある**からなのです。

ですから、演奏の練習をする時は、舞台に出て行く練習も繰り返し行っています。

その練習をする際に注意する点は、次のようなことです。

- 堂々と
- 観客のほうを向きながら歩く
- 笑顔で
- 自分は上手いと思う
- 下を向いては駄目
- 観客の拍手を想像する

声を出す時、それは誰かの視線を集める時です。ですから、誰しも人前で歌う時や話をする時には、間違えないか、難しいところはちゃんとできるのかと、緊張してしまうのは当然の事です。

プロの演奏家のように、今すぐ緊張しないで人前に立つのは無理です。

ですが、心がけと練習次第で、緊張を「ハッタリ魂」によって緩和する事は可能です。

**舞台（または壇上）に一歩足を踏み入れたら、あなたは女優（俳優）。**

ぜひ、「ハッタリ魂」を胸に抱いて挑んでみて下さい。

## 誰かが側にいるだけで、緊張は半減する

私は自分が選んだ楽器が、声（声楽）で、つくづく良かったと思います。

なぜなら、歌い手が歌を歌う時、必ずと言っていいほど伴奏者と一緒に舞台に出るからです。

幸い、今まで本番で大きな失敗をしたことはありませんが、いつも緊張とは隣り合わせで、不安な事もあります。

そんな時、伴奏者がいれば、こんな３つのメリットがあるのです。

**①伴奏者とは二人で一緒に舞台に出ます。**

一人より、二人で一緒に出たほうが、緊張もほぐれますし、同士という気持ちにもなり、安心です。

もし万が一、歌い手がドレスの裾にひっかかって転んでも、伴奏者が助けてくれます（そういうシーンを見たことがあります）。

**②伴奏者は、楽譜を見ながら演奏するので、間違える事はありません。**

もし万が一、私が歌詞を忘れてしまったり、間違えたり、止まってしまったりしても、伴奏者が伴奏を弾き続けてくれれば、音楽自体が止まる事はないのです。

歌い手は適切なタイミングで、何食わぬ顔をして、また、歌に戻ればいいのです（この時、間違った！　という顔をしてはいけない）。

**③同じ舞台で演奏しているので、演奏後の感想を、観客とは違う観点で聞けます。**

演奏の事はもちろんですが、例えば、「今日は舞台が乾燥していたね」とか、「ライト強すぎたね」とか、「立ち位置が、ピアノに近すぎたかな?」とか、小さな事ですが、同じ舞台に立たなければわからない事を相談したり共有できるのです。

それらの３つが、どれほどありがたく、心強く、安心できることか。

これが例えば、ピアニストだった場合、舞台に出るのも一人、演奏するのも一人です。万が一、自分の演奏が、何かのミスで止まってしまったら、音楽自体が止まってしまいます。

音楽が止まってしまったら演奏は完全に失敗で、その時点で、ＴＨＥ ＥＮＤです。想像するのもオソロシイ事です（音大の入試だと、どんなに演奏が素晴らしかったとしても、演奏が止まったら合格できません）。

ですので、私は、声（声楽）を選んでよかったと常々思うのです。

歌だけでなく、登壇して話す時も同じで、会場に知り合いがいたり、近くにサポートしてくれる人がいるだけで、いつもより緊張せずに良い声が出ます。

このように、一人だと緊張してしまう時は、誰かに近くにいてもらうだけで、心の負担はかなり減ります。

皆さんも、**登壇する時や歌う時に、どうしても緊張してしまったり、難局だと感じたら、**

側にいる人の存在の力を借りてみると、全然違うかもしれません。

## 「立て板に水」では信用されない。声とテンポを上手く使おう

「一生懸命話したのに、なんだか伝わっていない。ちゃんと聞いてくれていたのだろうか？」と思う事はありませんか？　そんな時の原因は、自分が立て板に水のように話している事が多いのです。

立て板に水とは、よどみなく流れるようにスラスラと話す様子を表す言葉ですが、例えば誰かが、あなたに伝えたい事があって、あなたに向かって、立て板に水のように休む間もなく喋ったら、あなたはどんな気持ちになりますか？

その人の話はちゃんと落ち着いて聞けるでしょうか？

その人の話の内容は耳に入るでしょうか？

その人の話に賛同できるでしょうか？

その人を信用できるでしょうか？

答えはＮｏです。

そう、**立て板に水のように、よどみなくペラペラと話してしまうと、伝えようとする事の50％は伝わりません。**

理由としては、

・早口になるので聞き取りにくい
・焦ると声は高くなり、高い声は聞き取りにくい
・短い間に膨大な情報量が耳に入って来るので、脳が処理できない
・息継ぎの時間が短いので、聞き手は文章がよく理解できない

等が挙げられます。

特に着目したいのが、

**・息継ぎの時間が短いので、聞き手は文章がよく理解できない**

の項目です。

例えば、音楽の場合、楽譜には必ず**「休符」**があります。休符とは、音を出さない部分、

## 「休符」（無音）には意味がある

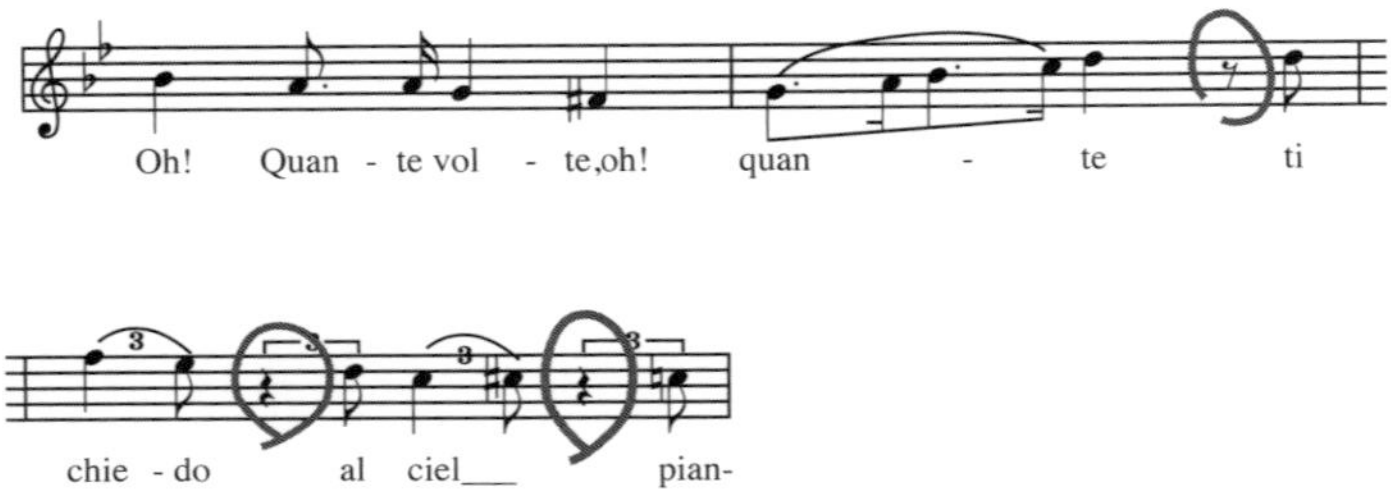
Oh! Quan - te vol - te,oh! quan - te ti
chie - do al ciel___ pian-

つまり無音の部分です。

無音なので、演奏者は音を出さないのですが、ただ無音にしているのではなく、その**無音には意味がある**のです。

その意味とは、前のメロディーと次のメロディーの橋渡しだったり、そこで無音にする事によって、次のメロディーを活かすためだったり、無音の部分の理由は様々ですが、理由のない休符はありません。

演奏家は、なぜそこに休符が書かれているのかを考え、休符に必ず意味を持たせます。

話す時も同様で、立て板に水のように、息継ぎもわからないほど、まくし立てて喋るより、**言葉と言葉の間に適度に間を入れると、聞き手は言葉が聞き取りやすいので、話の内**

**容が理解できる**のです。

かといって、立て板に水の反対語の、横板に雨垂《あまだ》れのように、詰まりながら話すのも、聞き手はリズムが崩れて聞き取りにくいでしょう。

話す時に大切なのは、**速すぎず、遅すぎずのテンポ（速度）と間（息継ぎの間や話と話の間の空白の時間）**なのです。


緊張して話すと、声もうわずり、高くなりやすいので、立て板に水になりがちです。逆に、慣れすぎている時も、慣れているがゆえにスラスラと話すので、これも立て板に水のようになる恐れがあります。

皆さんも、話す時には、**テンポと間**に気をつけて話してみて下さい。そうすると、話し上手に聞こえ、信用度も上がりますし、相手もよく聞いてくれるでしょう。

## 「選択に迷ったら声で決める力」を磨く

私は高校生の頃に2年間、病気で目が見えなかった時期がありました。目が見えないと言っても、真っ暗闇の中で生きていたわけではなく、たとえれば、両目の眼球の表面が、すりガラスのようになった感じなので、光は感じますし、なんとなく色もわかりました。

ただ、目を開けていると痛いので、瞼《まぶた》は閉じている事が多かったのです。

その頃には、まだ治療法が確立してなく、入院していた際には、多くの日本人や外国人の眼科の先生が集まり、研究のために見せて下さいと、順番に私の目をのぞき込んでいったものです。

そんな2年の間、今でしたら先を考えると、ちゃんと治るのか怖かったり、不安だったりするはずですが、不思議と怖くはありませんでした。

それは、目が見えなくても、声や音で色々な事を判断できていたからだと思います。

目が見えなくなってしばらくすると、若かったせいもあるとは思いますが、その事に自然と順応し、そして耳に頼るようになりました。

**声を聞いて顔色を読むようになり、声を通じて相手の気持ちや状態を感じることができるようになった**のです。

例えば、遠くで何かが落ちても、音を通じて、自分とその落ちた物の空間と距離、そして形状や素材も何かわかるようになりました。

それは、まるで、虫が触覚を使うような感覚でした。

そんな経験を経て、人間は目に頼りすぎて生活している事がわかったのです。

それと同時に、**耳の能力を使えば、もっと色々な事がわかったり、感じたりできる**のに、普段は目を信じすぎ、耳の能力は活用していない事に気がついたのです。

この章で、声には色々な事を知る要素がたくさん隠されていると言えるのも、音楽家だからというわけではなく、この目の見えない期間があったからだと思っています。

目ではなく、声を聞いて判断できる事もとても多く、人間はまだ眠っている能力をもっと生かすべきだと思っています。

そして、**声を聞き分ける感覚を身につけると、目で見るのとは違い、人に対しての色々な見方、考え方ができるようになる**のです。

耳は人間にとって、まだまだ未開発な部分です。しかし、意識するだけで、耳はどんどん開発されます。

日常で意識する事でその感覚を呼び覚まし、人間は、もっと多くの感じ方ができるようになる事も可能なのです。

**迷ったら声で決める。**

人間は、もっとその能力を磨いて、生きる知恵にするのも大事な事ではないでしょうか。

# 第3章

# あなたの声はどんどん良くなる！

## 声を出すという事は、笛を演奏するのと同じ

「登壇していて、長時間話していると、声が枯れてしまうんです」

「歌いすぎると、喉が痛いんです」

と、よくご相談を受けますが、そのようなお悩みの方は、決まって「どうしたら喉が強くなりますか？」と、お聞きになります。

そのような方には、まず最初に、

**「あなたの喉が弱いわけではありませんよ。弱いのは、あなたのお腹です」**

と言います。すると、ビックリされる方が今までほとんどでした。


その理由をご説明していきましょう。

まず、リコーダーをイメージしてみて下さい。

そう、小学校でよく使う、ソプラノリコーダーです。

### ソプラノリコーダー

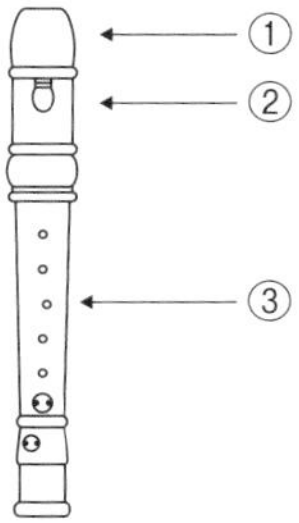


このリコーダーの、ピーと音が出る部分は、どこでしょう？

②の部分ですね。

では、そのピーをつくっている大元はどこでしょう？

そう、ピーをつくっているのは、①の息を送り込むところです。

③の部分は音をつくるのに押さえるだけですね。

声も、このリコーダーと同じです。

大元は息を送る①と同じ、お腹なのです。

②の部分（声帯）で声をつくっていると思いがちですが、じつは**②は通過点にすぎないのです。**

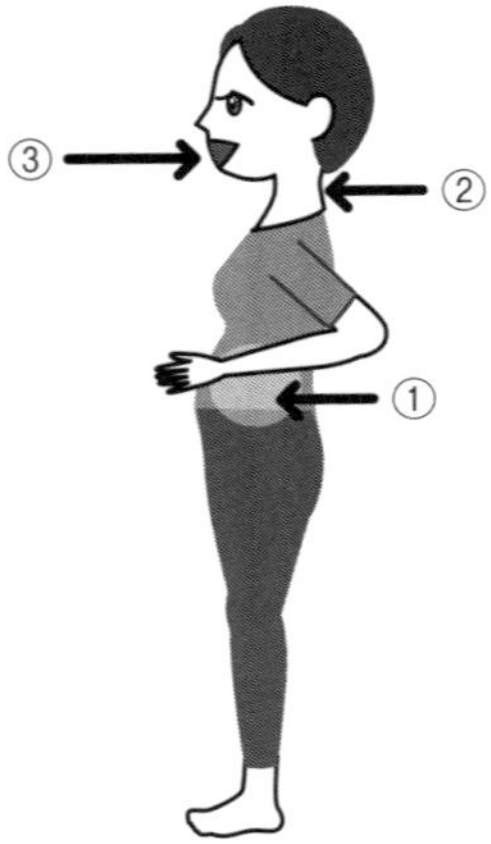


リコーダーを吹く時、②の部分に力を入れるでしょうか？

声も同じで、②の部分（声帯）には、力は必要ありません。

ですから、**喉が強い弱いという考え方自体が間違っている**のです。

大事なので、もう一度言います。

喉は息の通過点にすぎません。

**一番大事なのは、息を送るポンプの役割をしている①のお腹です。**

つまり、喉を傷めてしまう人は、喉の使い方がどうこうではなくて、お腹の使い方に原因があるのです。

声をつくっているのは、喉ではなくお腹。

という事がわかれば、良い声を手に入れるための50%を理解したと言っても過言ではないでしょう。

後の50％は、細かいメソッドやテクニックだけです。

まず、この大事な事を踏まえて、この章では、大切なお腹の使い方や、呼吸の仕方、細かいメソッドやテクニック等を、順を追ってお話ししていきたいと思います。

## 声がよくてもダメ。「腹式呼吸」を使わないと良い声は使いこなせない

例えば、あなたが、いくら高級で良いリコーダーを持っていたとしても、リコーダーの口から、たっぷり息を吹き込まなければ、良い音が出ないように、あなたがいくら良い喉（楽器）を持っていたとしても、そこに息をしっかりと送らなくては、良い声は出ません。

**喉は息の通過点にすぎません。**

**声をつくっているのは、喉ではなくお腹。**

と前述したように、しっかりと息を送るためには、その息を送り込むお腹の力が必要です。

では、お腹の力とは、どのようなものを言うのでしょうか。

**それは、「腹式呼吸」です。**

話すにしても、歌うにしても、この腹式呼吸がマスターできていなければ、たとえ良い喉（楽器）を持っていたとしても、宝の持ち腐れになってしまいます。

そして、喉が痛くなる、声が枯れるなどの様々なお悩みも、この腹式呼吸ができていないためなのです。

では、腹式呼吸とは、どのようなものなのでしょうか。

腹式呼吸というと、難しく考えがちですが、じつは、とてもシンプルです。

腹式呼吸とは、たった2つのステップでできています。

**●腹式呼吸の2つのステップ**

**①息を吸って、お腹を膨らます。**

**②息を吐いて、お腹をへこませる。**

## 腹式呼吸の２つのステップ

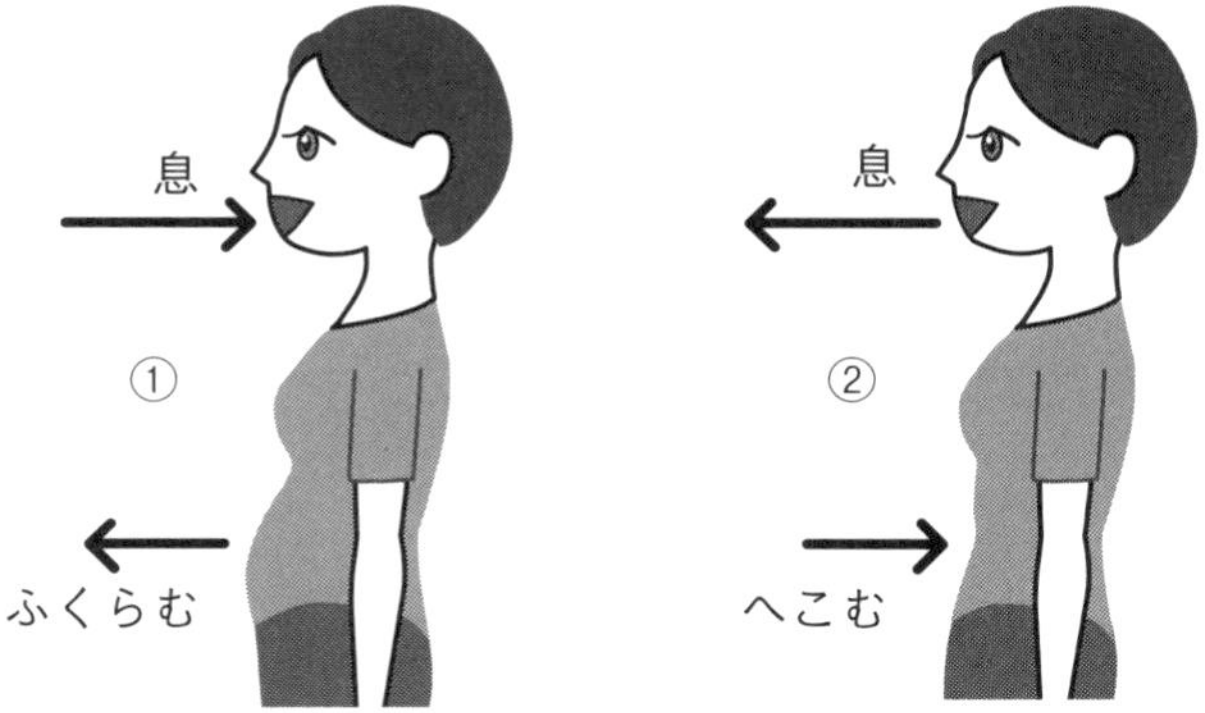


たったこれだけです。ね、簡単でしょう？

世の中には、腹式呼吸を体得するために様々なやり方があります。

うつ伏せになってみたり、仰向けになってみたり、お腹を押さえてみたり、胸を押さえてみたり。どれも間違っていません。

しかし、どれも難しすぎます。

腹式呼吸が体得できない人は、考えすぎてできなくなってしまうのです。

頭で考えすぎると、身体は言う事を聞いてくれません。

まずは、シンプルなこの２つだけと思って、やってみましょう。

そうすると、不思議とすぐに体得できます。

私もこの方法で人に教えていますが、皆さん、その場ですぐに感覚を掴んでいかれます。

**Q** 息を吸う時は、鼻から吸えばいいですか？　口から吸えばいいですか？

**A** いえいえ、そんな事考えないで、自分が吸いやすいほうで、まずは吸えばいいんです。鼻から吸っても、口から吸っても、息はお腹にたどり着くので心配しなくて大丈夫です。

**Q** 立ってやったほうがいいんですか？　座ってやったほうがいいんですか？

**A** いえいえ、これも、やりやすいほうでかまいません。あえて言うなら、息を吸った時に、お腹が膨らむのが実感できるほうが良いですが、しかし、その差はわずかなので、どちらでもかまいません。

このように、腹式呼吸をやってみる時に、様々なお悩みが出てくるかもしれません。

ですが、まずは他の事は考えないで、この**2ステップ（息を吸って、お腹を膨らます。息を吐いて、お腹をへこませる）だけやってみて下さい。**

この2ステップができるようになれば、自然に腹式呼吸は身につきます。

自転車と同じで、**腹式呼吸は1回できてしまうと、身体は忘れません。**

いつでも、どこでもできるようになります。

ご自分が自転車に乗れた時の事を思い出してみて下さい。

自転車も、まず理屈ではなく何度でも、とにかく乗ってみますよね。

それと同じで、腹式呼吸も、まず2ステップ、たったそれだけで簡単にできてしまいます。

## 声のメカニズムは、「呼吸↓声化↓音声化↓言葉」の順にできている

腹式呼吸の事は前述しましたが、では、腹式呼吸でつくった息は、どのようにして声になり、言葉や歌になるのでしょうか。

息の流れが、どのように声になるのか、順を追って見ていきましょう。

①呼吸

腹式呼吸によって、お腹に溜めた空気（息）は、お腹から押し出す力によって声帯に送られます。

②声化《こえか》

声帯に届いた空気は、閉じた声帯に当たり、振動します。

そこで初めて、空気は声に変わります。

③音声化

その声が鼻腔、口腔、咽頭等の空間で共鳴します。

この、それぞれの空間でつくられる共鳴した声が、響く声や、音色をつくっています。

④言葉化

そして最後に、口や歯、舌、唇などで変化し、言葉や歌になるのです。

これが、息がお腹から、口の外に出るまでの流れです。

このようにして、息は声になり、外に出るわけですから、その通り道が曲がっていては、上手く空気が運ばれません。

「良い声を出す時は姿勢を良くしましょう」と言われる事があると思いますが、まずは、空気をしっかりと運ぶためにも真っ直ぐな良い姿勢が必要なのです。

もちろん、腹式呼吸を極め、声の出し方のテクニックを身につければ、座って声を出しても、身体をかがめても、しゃがんでいても、良い声を出すことは可能です。

それらができるから、オペラ歌手やミュージカル歌手などは、演技やダンスをしながら歌が歌えるのです。

ですが、そういったプロでないのなら、まずは、**姿勢良く立ち、声を出すことが良い声を出すための近道**と言えましょう。

## 赤ちゃんが大きな声を出せるのは、身体全体を使って腹式呼吸をしているから

突然ですが、赤ちゃんの泣き声って、不思議だと思いませんか？

私達大人より、かなり小さな身体をしているのに、私達には出せないような大声で泣いたりします。

赤ちゃんがあんな大きな声を出せるのだから、私達だって大きな声を出すのなんて簡単！　と思うかもしれません。

しかし、じつは赤ちゃんは腹式呼吸のスペシャリストなのです。

赤ちゃんに勝てるはずがありません。

では、私達が赤ちゃんに勝てない理由をご説明しましょう。

よく観察してみると、赤ちゃんは全身で泣いていますよね。

私達はあんなに全身を使って、声を出しているでしょうか？

まず、大人が使っているのは、せいぜい、お腹、喉、口くらいなので、身体の使い方からして違います。

そして、赤ちゃんはまだ動けないので、仰向けに寝ていますよね。

**人間が一番身体をリラックスできるのは、仰向けの姿勢なので、赤ちゃんは、その姿勢で発声している**わけです。

私達大人は、立ちながら、または座りながら声を出しています。

その姿勢ですと、横隔膜が重力で下に下がっているので、リラックスできておらず、それだけでも不利と言えましょう。


そして、私が一番凄い！　と思う事は、泣き声と泣き声の間の、ブレス（腹式呼吸における息を吸うこと）の取り方です。

**赤ちゃんは泣き声と泣き声の間の息を取るのが、一瞬です。**

ゆっくりと息を吸っていません。

しゃっくりのように、大量の息を吸い込み、そして、その息を次の泣き声に全て使っているのです。

「声が良くてもダメ。『腹式呼吸』を使わないと良い声は使いこなせない」（77ページ参照）でお話ししましたが、腹式呼吸は、「息を吸って、お腹を膨らます。息を吐いて、お腹をへこませる」だけです。

しかし、応用編として、**息を吸う作業をゆっくりではなく一瞬でする事が、話をする時や歌を歌う時には重要**になってきます。

その、応用編まで完璧にできている赤ちゃん。これぞ完璧な腹式呼吸。

泣いている赤ちゃんを見ると、いつも感心してしまいます。

赤ちゃんの泣き声は、うるさいなーなんて思う人もいると思いますが、そこには呼吸の秘密がたくさん詰まっています。

赤ちゃんが泣き出すのを見かけたら、ぜひ近くに行って、どんなふうに声を出しているか観察してみましょう。

ただし、知らない人の赤ちゃんをジロジロ見すぎて不審者扱いされないように注意しましょうね。

## ブレスを制すれば、声は自由自在に操れる

私が音大生の頃、何年も悩んでいた事がありました。

その悩みとは、歌を歌う時に舌の付け根が上がってしまって、喉をふさぎ、思うように歌えない事でした。

当時は原因がわからず、声を出す時に鏡を見ると、いつもそのようになってしまっていて、先生に指摘されても、その舌を直す事ができませんでした。

それがとても悲しくて、割り箸で舌の付け根が上がらないように押さえながら発声をしてみたり、口の形を変えてみたり、色々な事をしてみましたが、一向に直りませんでした。

自画自賛するわけではないのですが、私は喉の筋肉が強く、持ち声が良かったので、そんな悩みがあっても、なんとか音大の試験などでは普通に歌えてしまっていました。ですが今思うと、かえって根本解決に結びつかず、直る道から遠ざかってしまったのではない

かと思っています。

歌を歌うのに、腹式呼吸が大事という話は、色々なところで、耳にタコができるくらい聞いていましたが、その当時は本当の意味でわかっていませんでした。

しかし何年かして、腹式呼吸というものが何なのか、ひょんな事から、呼吸と声の結びつきが理解できる出来事がありました。

その結びつきがわかった時は、大げさかもしれませんが、ヘレン・ケラーが水を触って、「ウォーター」と衝撃的に理解した時のようでした。

あの時の気持ちは、今でも忘れられません。

そして、腹式呼吸というものを理解し体得できたら、舌の付け根は自然に上がらなくなっていたのです。

**つまり、舌の付け根が上がっていた原因は、腹式呼吸がちゃんとできておらず、お腹から送る息の量が足りなくて、喉の力でなんとかしようと、喉に力が入っていたからです。**

**そのため、舌の付け根が力みすぎて上がっていた**のでした。

## 正しい舌の位置

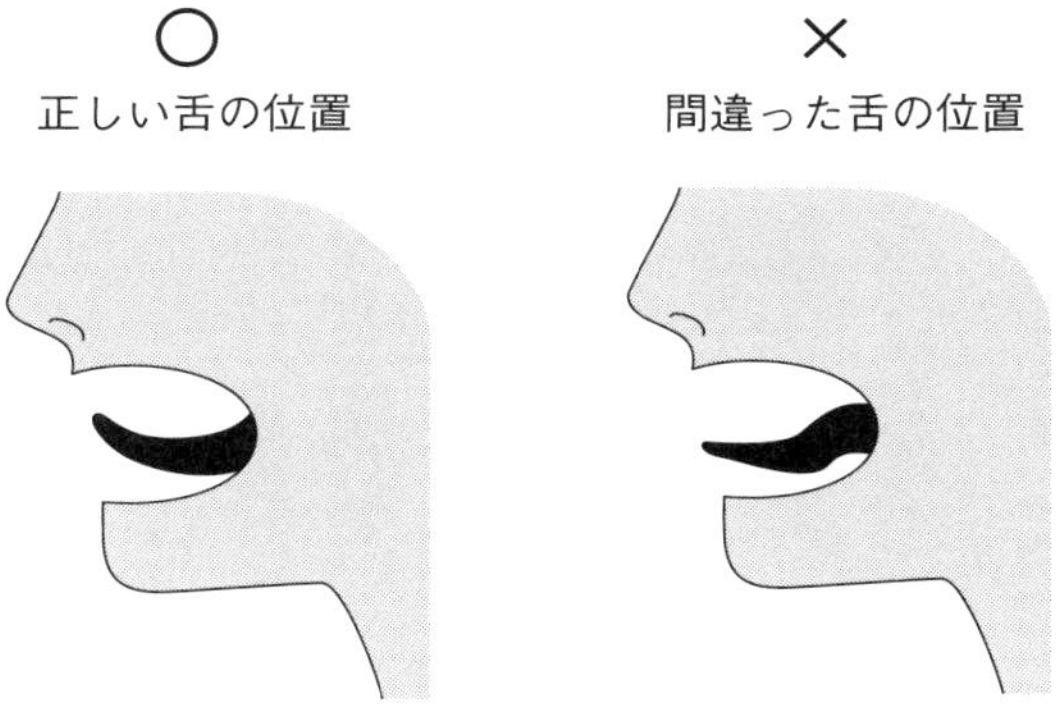


その悩みが消えてから、歌う事が楽しくてしかたなくなりました。

今思うと、そんなシンプルな事もわからず、何年も舌の事で悩んで、歌が伸び悩んだ時期があるなんて嘘のようですが、今の私が、昔の私に声をかけられるとしたら、一言「気づいて！　原因はブレス（腹式呼吸）よ！」と言ってあげたいと思います。

ですので、皆さんにも、声を出している時に口の中の舌がどういう状態になっているか、ぜひ一度、鏡で見ていただきたいと思います。

舌が平らになっていて、少し窪んでいたら、正しく声を出せています。

今回、私の昔の悩みを書きましたが、この

ように、大抵の喉の悩みはブレス（腹式呼吸）が原因です。

さらに言えば、ブレスを制すれば、声は自由自在に操れます。

自分がブレスで苦労してきたからこそ、皆さんには、シンプルに、そして楽に腹式呼吸を体得してほしいと切に願っています。

## 音痴は、声帯の筋肉を鍛えれば確実に治る

「音痴って治りますか？」

と、聞かれる事がよくありますが、結論から言うと、**音痴は治ります。**

というか、そもそも皆さんが考えている、生まれつき音痴という人は、本当はいません。

**音痴と感じている人は、筋トレ不足なだけなんです。**

それを聞いて、「筋トレ？」「え？　歌を歌う事は運動でもないし、みんな優雅に歌っているし、声楽って芸術でしょ？」なんて思うかもしれません。

「声楽家」と聞くと、音楽家・芸術家というふうに認識している人が多いと思います。

もちろん、声楽家は音楽家であり芸術家ですが、じつは、歌を歌うという事は、マラソン選手やアスリートと同じ事をしていると言えましょう。

例えば、飛び石を飛ぶには、足の筋肉が必要ですよね。

今いる飛び石の上から、次の飛び石に飛ぶのには、狙いを定めて、足の筋肉を使って飛びます。

その時に、足の筋肉が弱かったり、目標の飛び石の距離を見誤ると、次の飛び石に飛ぶのに失敗してしまいます。

声をつくり出している喉の中の声帯も筋肉でできていて、**歌も飛び石を飛ぶのと同じで、音から音に飛ぶのには、声帯の筋肉が必要**です。

その筋肉を使って、音程（音と音の幅）を行き来しているのです。

正確に音と音の間を飛ばないと、正しい音にたどり着けなくて、いわゆる「音痴」という事になります。

ですので、**筋トレをして、音と音の間を正確に飛べるようになれば、音痴は治ります。**

## 音痴を治すには声帯の筋肉が必要！

マラソン選手が、日々走っていないと筋肉が衰え、上手く走れなくなってしまうのと同じように、声も、日々筋トレをしないと筋肉は衰え、声を出しにくくなってしまいます。

マラソンを走るのと同様に、声にとっても筋トレはとても大事なのです。

こういうお話をすると、演奏会で綺麗なドレスを着て、芸術的に感動的な歌を歌う声楽家も、アスリートと同じという事がよくわかると思います。

芸術家とアスリート。遠い存在のようで、じつはとても近い存在ですね。

## 頬を手で押さえながらハミングの練習をすると、声は響く事を覚え出す

腹式呼吸や声の筋トレの大切さは前述しましたが、声をより良くするためには、もう1つの要素が必要です。

それは、**「共鳴」**です。

**共鳴とは空間を響かせる事で、声に関して言えば、「声帯から送られてきた息を顔の中の空洞で響かせて、声を綺麗に響かせる事」**です。

せっかくお腹から声帯まで送り出した空気（息）を、顔の中で共鳴させてあげなければ、口から出た声は良い声にはなりません。

声を共鳴させる事は、とても重要になってきます。

しかし、自分の声が共鳴しているかどうかは、自分では判断がつきにくいものなので、まず、自分の声が共鳴しているか、両手を使って確認してみましょう。

## 「むー」と長く息を吐く

①両手の指で目の下を押さえながら、腹式呼吸で吐き出した息を使い、「むー」と言いながら、長く息を吐いてみる。

②その時に、指の先がびりびりと振動しているような感覚になったら、顔の中で、声が共鳴しているという事です。

③もし、その感覚がなかった場合、鼻の裏の鼻腔のあたりに、木箱があり、その木箱を響かせるようなイメージをしてみて下さい。
そして、何度も、「むー」と発声して、まずは、びりびりという感触が指に来るまで、練習してみましょう。それでも感じにくい場合は、「んー」でもかまいません。

## 3つのバランスが大事！

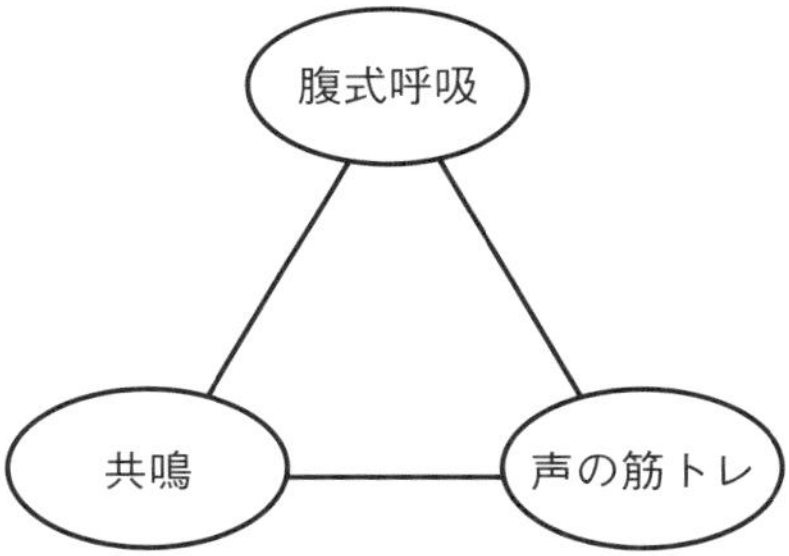


この、「むー」と声を出すことで、声を集めて、共鳴させる練習をすると、顔の中で声を共鳴させることが徐々にできていきます。

今までお話しした、**「腹式呼吸」「声の筋トレ」、そして「共鳴」、この3つのバランスが、声を出す事において重要になってきます。**

共鳴ができていないと、響きのない声になり、遠くまで通る声にはなりません。

ご自分の声は共鳴するか、まずは確かめてみましょう。

そして、もしできていないのなら、「むー」と発声する練習をぜひしてみて下さい。

## 響かせる声をつくる練習をするには、「口笛」を吹くのが一番効果的

**「声楽家や声の良い人は、必ずと言っていいほど、口笛が上手い」**

という事に気がついたのは、私が音大生の頃でした。

それは、授業の合間の休憩時間内での事でした。

色々な楽器を専攻している何人もの友達と、合唱曲のパートごとに分かれて、口笛で演奏してみたのです。

そうしたら、明らかに声楽科の人達だけが、まるで小鳥が囀《さえず》るように、上手に口笛を吹けていました。

その時は、ただ、声楽科の友達だけが、偶然上手いのだなと思っていたのですが、今になって思うと、**口笛を上手く吹くには、声楽のテクニックが必要**なのだという事がわかります。

まず、口笛に重要なのは、息を送る腹式呼吸、そして、口腔内の共鳴を上手く使い、音を響かせて、口から音を出すという事。

それは、歌を歌う時と同じです。

ですから、声楽家が口笛が上手いというのは、当たり前の事だったのです。

声を共鳴させるために「むー」と発声する練習方法をお伝えしましたが、その**声を実際に響く声にするためには口笛を吹く練習をすると、声をより共鳴させて、綺麗に出す事が可能になります**。

もちろん、その時には腹式呼吸との組み合わせが大事になります。

ですので、ぜひ、**腹式呼吸＋口笛の練習**をしてみて下さい。

そして、口笛が上手い人を見つけたら、その人の歌を聞いてみましょう。

必ずと言っていいほど、美声の持ち主だと思いますよ。

## 喉の筋力がアップする発声練習に、一番適している言葉は「り」

発声の練習をするうえで、大事な事は前述したとおり、腹式呼吸、声の筋トレ、共鳴の3つですが、それらを一番実感しながら練習するには、どんな言葉で発声練習するのがベストだと思いますか？

世の中には色々な発声方法がありますが、私は、**「ドレミファソファミレドの音階を、『り』で発声するのがベスト」**だと思います。

その理由として、

・「り」という発音をしようとすると、自然に口角が上がる
・「り」の口をすると、自然に頬骨のまわりの筋肉も動くので意識しやすい
・「り」は、母音（あいうえお）の中で一番響きやすい、「い」の音を含んでいる

「り」の発声でやってみましょう！

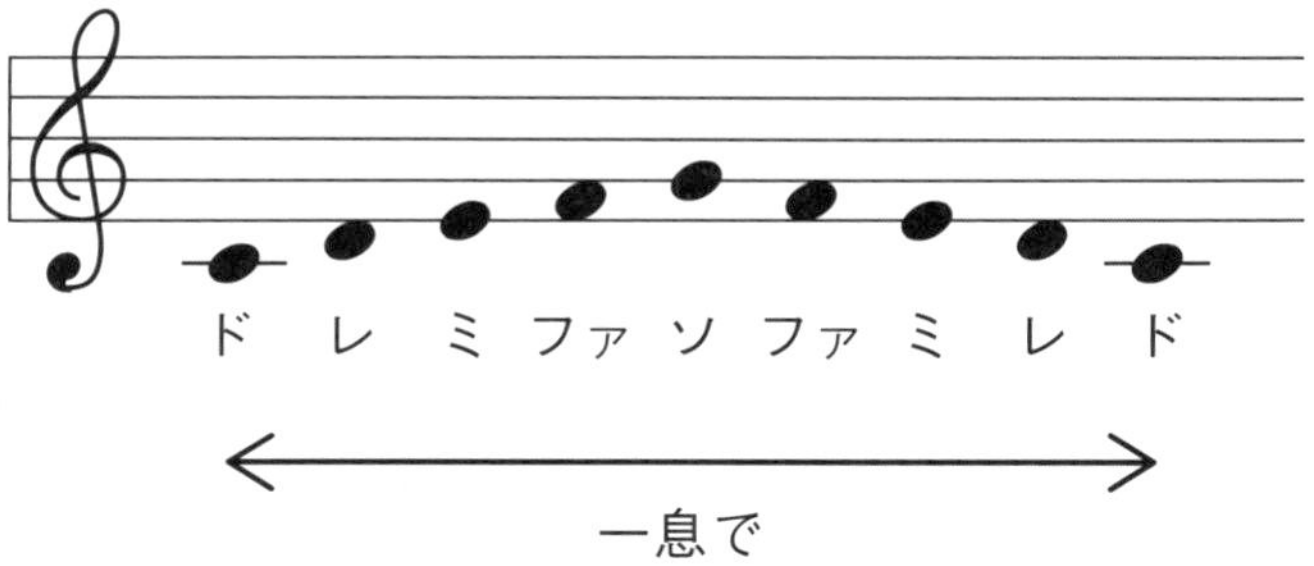


・「い」だと鋭すぎるが、「り」だと鼻の裏の共鳴を感じやすい

など、他の母音や子音より様々なメリットがあると思うからです。

では、ドレミファソファミレドの音階を「り」の発声でやってみましょう。図を参照しながら、やってみて下さい。

その時に注意するのは、以下の点です。

・ドレミファソファミレド、を一息で歌う
・一番、響かせようと思う音は「ソ」の音
・一番、息をたくさん送るのは「ソ」の音
・「ソ」の音を出す時に、少し目を見開く

そして、ドレミファソファミレドを一息で歌っている時には、できるだけ瞬きをしないで下さい。

瞬きをすると、とても微々たる事ですが、音程が下がります。


声と目というのは、じつは関係ないようで、とても関係性が深いのです。

何か機会がある時にぜひ注意して見てほしいのですが、プロの声楽家は歌を歌っている時、特に高音を出している時や音程の難しいところを歌っている時は、ブレスとブレスの間（息継ぎと息継ぎの間）には瞬きをしません。

むしろ、目を見開いています。

それは、レッスン等で見開きなさいと習っているわけではないのですが、声を出すうえで難しい場所を歌う時には、身体も頑張らなくてはならないので、必然的に目を見開いてしまうのです。

そのほうが歌いやすいとも言えましょう。

皆さんも、「り」の言葉で発声する時、特に「ソ」の部分を歌う時には腹式呼吸の力も必要ですが、目の力も借りて練習してみて下さいね。

## フレーズの中の「声の配分」に気をつけると、息を上手に使う事ができる

人の息の量には限りがあります。

もちろん訓練により、息の量は多くなるので、将来的には心配はいりませんが、今すぐに歌えるようになるには、一息で歌う部分（フレーズ）の中の息の配分が大事になってきます。

「り」の発声法でも、少しお話ししましたが、ブレスとブレスの間の息の量には限りがあり、全ての音にたっぷりの息を使う事は練習のし始めにはできません。

まずは1フレーズの中の、どの音を自分は綺麗に響かせたいのか、一番自分にとって出すのが大変な音はどれなのか（例えば高音など）を考えてみて、楽譜に印をつけておきましょう。

その印をつけた音が、一番息を使う大事な音です。

そうすると自然に、このフレーズでは、どこに息を一番送らなくてはならないのかがわ

## 歌は息の配分を考えること

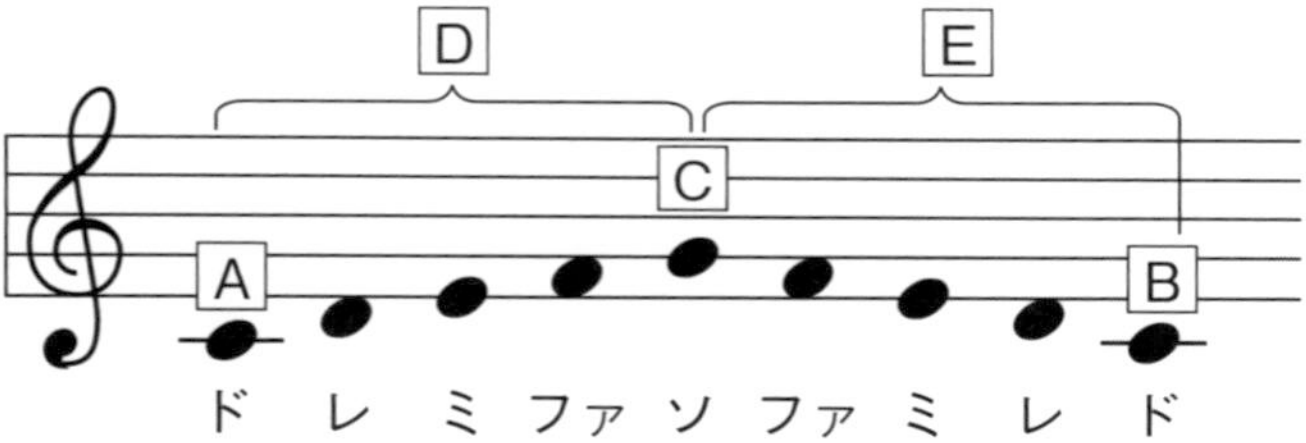


かってきます。

それでは、この楽譜で、その方法を見ていきましょう。

この曲の1フレーズは、AからBで、AからBは一息で歌います。

その、AからBの中の大変な音は、「ソ」になります。

ですので、「ソ」にCと印を付けましょう。

Cを綺麗に響かせたいのなら、入り出しのDの部分には、息はあまり使いたくありません。

ですので、Dの部分は、あまり息を使って大きな声で歌わず、息を節約します。

Aの直前にブレスをした後の、入り出しのDの部分は、息がたくさんあり、つい息の無駄使いをしたくなります。

ですが、Ｄで無駄に息を使ってしまうと、ＣやＥの部分で足りなくなってしまうので注意が必要です。

このように、**１つのフレーズでも息の配分を考えると息が有効に使え、響かせたいところにはしっかりと息を送れるので、綺麗な声を出すことができます。**

そうする事で、「あっ、この人、歌が上手いな」と思わせる事も可能になるのです。

一音一音を同じ音量で歌うより、**聴かせたいポイントを綺麗に響かせながら歌い、「わー綺麗！」と、何か所か聴き手に思わせる事ができたら、歌としては成功**です。

そして、そのようなテクニックを使いこなせる事が、歌が上手い人の条件でもあるのです。

## 練習する時は「場所」を選ぶ事で、喉が楽に歌える位置を自然に覚え出す

練習をする時に、姿勢や腹式呼吸など、声については色々気にすると思いますが、練習する場所について考えた事はありますか？

「とりあえず、家の中のうるさくない場所で」とか、または「適当に」とか、「歌いたくなったら、どこでも」と答える人は多いかもしれません。

しかし、**練習する場所によって、あなたの声の上達スピードは違ってくる**のです。

声を出す練習は、どこでもできます。

では、上達するには、どのような場所が練習に適しているのでしょうか。

お風呂場で歌うと、良く響き、自分が上手に歌えているようにも思い、気持ち良く歌えると感じる事はありませんか？

それは、お風呂場では声が良く響くので、喉が自然にリラックスした良い状態で歌えて

いるからです。

その証拠に、お風呂場でどんなに歌っても、喉が痛くなることはありませんよね。

**声を出す練習は、そのような、良く響く場所で練習する事が理想的**です。

しかし、毎回お風呂場で練習するわけにはいきません。

ですので、第1章の「良い声、響く声をつくるには、空間と音響を利用する」（26ページ参照）でお伝えした方法を用いて、家の中で一番響く場所を探してみて下さい。

お家によって間取りも違いますし、壁や床などの素材も違うので、もしかしたら一番響く場所は部屋ではなくて、廊下かもしれないし玄関かもしれません。

実際歌いながら、家の中を歩いてみるのも、1つの方法になるでしょう。


そうして見つけた**良く響く場所で、声を出したり歌ったりしていると、自分の喉の筋肉や声帯が楽に声を出せる喉の使い方を自然に覚えていきます。**

そうすれば、あなたの声は喉で無理に頑張らなくてもいいので、素直な良い声が楽に出せるようになっていきます。

そして、その練習で体得した声の出し方を自分のものにしてしまえば、どんな場所でも楽に声が出せるようになります。

逆に、響かない場所を選んでしまうと、喉は響かせよう、響かせようと力んでしまい、腹式呼吸との連動は上手くいかず、喉を傷めてしまう原因にもなってしまいます。

場所を選ぶ。

たったそれだけの事で、あなたの声はグングンと上達していくはずです。

## 良い声を聴き続けていると、自然に自分も良い声を出せるようになる

不思議な事に、一流の歌手の歌をＣＤで聴いてからレッスンに行ったり、練習したりすると良い声が出るという、なんの根拠もない体験を若い頃何度もしました。

その理由の明確な答えは今でもないのですが、１つだけわかる事は、**「喉は、真似したがる。そして記憶する事ができる身体のパーツなのだ」**という事です。

前述した、お風呂場で歌うと、喉が楽に歌えるポジションを記憶し、自然と楽に歌えるようになるのも同じ事と思います。

そして、**良い歌を聴くと、何度も脳内では自分も歌っているイメージができているのか、喉がその歌手の声を真似しだし、良い声が出る**のだと私は思います。

それは優秀なアスリートの走りを何度も見ていると、足の上げ方や手の振り方、走り方を無意識（意識的な人もいるでしょう）で真似しだし、気がついたら同じような走り方をしていた、というのとよく似ていると思います。

残念ながら、そのようにして真似した歌は忘れてしまうのか、私の場合は１時間ぐらいで元の声に戻ってしまいますが、その事を知った私は試験直前まで何度もプロの声を聴いて、喉への効果を期待してそれを使っていました。

そんな、きちんと説明できない喉の不思議は、きっとこれからも、まだまだ出てくると思います。

そして、その喉が真似する理由を、脳の研究者が解明してくれる日が来るかもしれません。

そんな日が来るのを、私は心待ちにしています。

付け焼刃になってはしまいますが、皆さんも、ここぞ！　という歌う時や人前で話をする直前には、自分の理想とする声の録音を聴いて本番に挑んでみて下さい。

きっと、声にとって良い事が起こるはずです。

## 常に良い声をキープしたいなら、「声の排水管掃除」をしよう

この章では、声を出すための大事な事を書いてきました。

その中で、一番大事な事は、声を出すことの3つのバランスについてです。

- **腹式呼吸**
- **声の筋トレ**
- **共鳴**

この３つのバランスが基本であり、一番大事なことなのです。

どれかが欠けてしまっても、声というのは上手く発声できません。

そして、**この３つを意識しながら練習していくと、身体の中で、自分の「声の通り道」というのができてきます。**

これは、あくまでそれぞれの自分の中のイメージでもあるのですが、「自分は、こういう腹式呼吸をして、このように共鳴して、ここを響かせ、これくらいの声をこの辺で出す（声は口から出ますが、歌っていると、目と目の間ぐらいから声が出ているイメージになります）」というのが、自分でわかってきます。

これが、「声の通り道」であって、いつもその道を通って、声が出るようになるのです。

この「声の通り道」は、声楽的には、**「喉が開いてきた」**という言い方をし、自分で声の出し方がわかってきたという意味でも使われます。

例えば、絵①（１１０ページ）のような排水管の場合、絵②のようなブラシで頻繁にお掃除をしないと、汚れが溜まり、詰まってしまうと、水は通りにくくなってしまいますよね。

## 「声の通り道」も排水管と同じ！　頻繁に声を通そう！

①

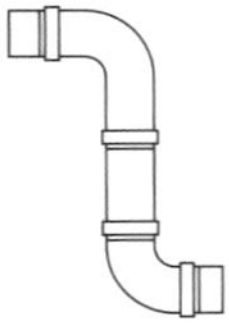

排水管

②

ブラシ

**「声の通り道」もこの排水管と同じで、頻繁に声を通してあげないと、せっかくできた道も詰まってしまい、通りが悪くなってしまいます。**

また、しばらく声を通してあげていないと、道そのものも忘れてしまいます。

せっかく道をつくったのに、そうなってしまっては、もったいないですよね。

もし、声の通り道が詰まったり、忘れたりしてしまうと、1からその道をつくるのには、プロでも最速で1か月はかかってしまいます。

プロでさえ、訓練をしていないと、その道を保つ事はできません。

そうならないように、日々、腹式呼吸や、声の筋トレ、そして共鳴を意識し、常に声の通り道を確認しておきましょう。

そうすれば、あなたの声は良い声のまま、ずっと保つことができますよ。

## テレワーク・自粛生活における声のつくり方

先日、新型コロナウイルスによる２０２０年春からの自粛生活が解除になり、久しぶりにハイヒールを履いて外出しました。

そうしたら、自粛生活中の三か月間ずっと、フラットシューズ（底が平らな靴）しか履かない生活をしていたせいか、ハイヒールを履いて立っていると少しフラフラしますし、30分程歩いたら、ついには転んでしまいました。

そして、さらに悪い事に、ハイヒールを履いたままでは、しっかりと足に力が入らないため上手く立ち上がれず、さらにもう一度転んでしまったのです。

そう、私はその時、２度転んでしまったのです。

末だかつて、このような事はありませんでした。

手術後の患者さんは、すぐに歩かせるのだという事を、昔お医者さんに聞いた事があります。

手術後すぐの患者さんを歩かせるなんて傷口は痛くないのかしら、お年寄りなら、なお、かわいそうだと思いましたが、理由を聞いて納得しました。

その理由とは、**人間というのは1週間寝たきりでいると歩けなくなる**からだそうです。

若者ならば歩けなくなっても、その後リハビリをすれば、なんとか歩けるようになるようですが、お年寄りの場合は、もう二度と歩けなくなるので、手術後すぐの歩行訓練でかわいそうとは思うけれど、歩けなくなるよりは良いと思って、病院内の廊下だけでもいいから歩かせているという事でした。

そのお医者さんの話を思い出し、この3か月間、ずっとフラットシューズしか履かない生活をしていた私は、ハイヒールを履くための足の筋肉が全て落ちてしまっていたという事に気がつきました。

この事実に自分自身でビックリしてしまうのと同時に、もしかしたら、このコロナ禍におけるテレワークと自粛生活で喉の筋肉も全て落ちてしまっているのではないかと思い、家族や知人の声を聞いてみたり、顔を見せてもらう事にしました。
そうしたら、なんと、調べた全員が声や顔に何らかの変化がありました。

・頬骨の筋肉が落ち、横から見ると明らかに顔が平らになっている
・嗄《しゃが》れ声になっている
・お腹に力を入れて声が出せない
・声が聞き取りにくくなっている

このような明らかな変化が、この３か月であったのです。

理由としては、以下のことが考えられます。

・人と話す機会が減った
・声をはり上げる機会が減った
・友達との談笑など笑う機会が減った

・会社における、「○○さーん」などの遠くに呼びかける声が減った
・身体を動かす機会が減ったので、身体全体の筋肉、特に腹筋が減った
・テレワークにより、人に話しかける声ではなく、マイクに乗せる声に変わった
・会社員の人は、人前で発表する機会が減った
・座る時間が長く、歩く時間が短いので、腹部周辺の筋肉が伸びない
・合唱やカラオケは感染リスクが大きいため、歌う機会がなくなった

この結果を受けて、私はこのコロナ禍における声の衰えの深刻さを実感しました。

この結論の一番の問題点は、声というのは見えないので、サイレントキラーのように、知らないうちに衰えてしまっているという事です。

身体や見た目なら、自分自身で感じやすいので、危機感を抱いてトレーニングをしたり、戻そうと意識するのですが、声は知らないうちに衰えてしまうので、放置してしまうのです。


では、コロナ禍における声はどのように気をつけたらいいのでしょうか?

それは、この章に書いた声のトレーニングを基本にしていただきたいのですが、コロナ

禍中に気をつける事として、特別な事を６つプラスしたいと思います。

**①テレワーク中、足は組まず、普通に座って下さい**

足を組むと、腹式呼吸をするための身体のバランスが崩れます。

**②テレワーク中、なるべく姿勢を良くして下さい**

姿勢が悪いと、腹式呼吸が乱れるだけでなく、背筋が弱ります。できれば、背筋を伸ばしたうえで、少しお尻を突き出すような姿勢が好ましいです。

**③テレワーク中、カメラの位置を気にして下さい**

ノートパソコン等の場合は、目線より下にカメラが付いていて、自然と顔は下を向いてしまい、声を出すための喉の正常位置ではないため、声もこもりがちになってしまいます。できればカメラの位置を、目線と同じ高さに合わせて下さい。そうする事で、声を出すための喉の正常位置は戻ります。

**④家族と話す時も腹式呼吸で話す意識をして下さい**

良く声を通そうと意識して喋るのと、意識しないのとでは、声は全然違ってきます。近くにいる家族には、ボソボソと喋りがちになるので、家族みんなで、話す時はお互いに意識して声を出すと良いでしょう。

### ⑤笑う事を意識的に日常にプラスして下さい

笑うというのは、声を出す良い訓練にもなります。いつもの生活より、意識して笑うようにして下さい。コメディードラマや映画、お笑い番組などを敢えてチョイスするのも良いと思います。

### ⑥電話を多く使うようにして下さい

テレワークや自粛中は、友達に会って話す事ができません。ですが、今はインターネット飲み会やテレビ電話など、会えなくても友達とは話せます。

本当は画面を通して話したほうが表情筋も働くので、そちらをお勧めしたいのですが、できない場合は電話だけでも構いません。声をより使う事が重要です。

テレワーク・自粛中、この6つの事を意識するのとしないのとでは、コロナ禍が明けて

郵便はがき

切手をお貼りください。

102-0071

東京都千代田区富士見
一−二−十一
KAWADAフラッツ一階

さくら舎 行

| | | | | |
|---|---|---|---|---|
| 住所 | 〒 都道府県 | | | |
| | | | | |
| フリガナ | | 年齢 | 歳 | |
| 氏名 | | | | |
| | | 性別 | 男 | 女 |
| TEL | (　　) | | | |
| E-Mail | | | | |

さくら舎ウェブサイト　www.sakurasha.com

# 愛読者カード

ご購読ありがとうございました。今後の参考とさせていただきますので、ご協力をお願いいたします。また、新刊案内等をお送りさせていただくことがあります。

【1】本のタイトルをお書きください。

【2】この本を何でお知りになりましたか。

1.書店で実物を見て　2.新聞広告(　　　　新聞)
3.書評で(　　　　)　4.図書館・図書室で　5.人にすすめられて
6.インターネット　7.その他(　　　　)

【3】お買い求めになった理由をお聞かせください。

1.タイトルにひかれて　2.テーマやジャンルに興味があるので
3.著者が好きだから　4.カバーデザインがよかったから
5.その他(　　　　)

【4】お買い求めの店名を教えてください。

【5】本書についてのご意見、ご感想をお聞かせください。

●ご記入のご感想を、広告等、本のPRに使わせていただいてもよろしいですか。
□に✓をご記入ください。　□ 実名で可　□ 匿名で可　□ 不可

からの声に、かなりの差が出るでしょう。

私がハイヒールで転んでしまったように、声にも、同様の筋肉の衰えは必ず起きています。気がつくことで変わる事もできるので、まず声を使う事を意識しながら過ごしてみて下さい。

# 第4章

# あなたの知らない声の不思議な話

## 鳥も歌の練習をしている。メスに気に入ってもらうためのいい声を必死に探っている

昨年の秋に文鳥のヒナを買いました。名前はおもちちゃんと言います。小鳥の声は「地鳴き」と「さえずり」に分かれていて、地鳴きは主に近くの鳥に対しての会話のような役割の声で、さえずりは歌のように、遠くまで聞こえる声です。

さえずりは、オスの場合、メスに求婚する時にとても大事になってくるので、オスは、メスに気に入ってもらうためにも、さえずりの練習をするそうです。

おもちちゃんも、観察していると、最初はつたない声であったのが、半年の間に、自分で作曲をし、どんどんと歌が上達しているのもわかりました。

また、面白い事に、何日か私の父におもちちゃんを預けていたら、今までは、「ピーチョップチョップチョップチョップ」と歌っていた歌が、帰ってきたら「ピーチョップチョップチョップチョップあー」に変わっていたのです。

これは、最後に「あー」がついたわけなのですが、その「あー」の声の出し方が、父の声そっくりなのです。

偶然かもしれませんが、もしかしたら、父の声を真似して、自分の歌に取り入れたのかもしれません。

この事に裏付けが欲しかったので色々と調べてみたら、鳥のさえずりというのは、主に、父鳥から子に受け継がれていくものだそうで、なんらかの理由で父鳥がいない場合は、父鳥からの音声学習ができないので、その鳥独自の歌になるそうです。

おもちちゃんは、ペットショップで買った鳥なので、当然父鳥に歌を習う事ができなかった状態です。

そのため、このように自分で作曲し、時には、気に入った音声を取り入れながら、独自の歌をつくり上げて歌っているのだという事がわかりました。

このように、**鳥も人間と同じく、声を良くするトレーニングをしています**。そして、鳥も生まれながらにして、あんな良い声が出せるわけではなく、しばらくさえずらないでいると、歌が下手になるそうです。これも人間と同じで、日々のトレーニングが必要だという事は面白いですね。

春になると、鶯《うぐいす》が歌の練習を始めます。鶯も最初から、ホーホケキョと歌えるわけではなく、ホーホケくらいしか歌えないそうなので、そんな練習途中の声を聞くと、鳥も人間と同じく練習しているんだと、親近感がわくかもしれません。

## 学校でよく言われた、「大きな声で！」は誤解だらけ

日本の学校教育現場では、**「大きな声で！」**と要求される場面が多々あります。例えば、体育での点呼、国語での朗読、返事、部活動での声出しなど、様々な場面で、「大きな声で」と、先生に要求されます。

しかし、この「大きな声で！」という声出し方法は、本来間違っています。

**「良く通る声で！」**と生徒には言うべきでしょう。

学校で間違った「大きな声」を求められた子ども達は、大きな声を出すために喉で押すような声、つまり、腹式呼吸を使わない、良くない発声方法を身につけてしまう事になります。

実際、大人になった私達が「大きな声で！」と言われると、喉から怒鳴るような声を想像してしまうのは、この学校教育のうえでの、間違った思い込みのせいかもしれません。

この事が、**日本人における、喉声（喉で押すような声で、腹式呼吸を使わない声）の多さや、歌や声を出す時の、上達の遅さにも多少たりとも影響している**と、私は思います。

幼い頃の初めて声を出す段階から、大きな声というものを誤解してしまっているのです。

大きな声というと、ただ出せばいいと思いがちですが、そうではなくて、**「良く通る声で、声を遠くに響かせる」**というのが正解なのです（第３章93ページ参照）。

それに加えて、日本の校舎は教室そのものが響きにくい素材と構造をしているので、さらに「良く通る声」は出しにくい環境であるとも言えるでしょう。

幼い頃に、「大きな声」という事を誤解してしまうと、後々、声を出す事に対して苦労する事になるかもしれません。

ですから、お子さんやお孫さん、身近にお子さんがいるご家庭では、一度、子どもの「大きな声」がどのように出されているかチェックしてみるといいと思います。

そして、大人の方にも、「大きな声で」と言われたら、子どもの時のように、ただ出すだけの喉声にならないように、イメージに注意して発声していただければと思います。

## 嬉しい時に歌いたい人と、悲しい時に歌いたい人の違い

あなたが歌を歌いたくなる時は、嬉しい時ですか？　それとも悲しい時でしょうか。

**嬉しい時に歌いたい人は、幸せを歌によって自分自身に示したいと思う心理が働いています。**

そして、自分に対して応援してあげたい気持ちも高まり、自分への応援歌として歌を歌いたくなる人もいます。

また、気分をさらに上げたい、自分の嬉しいエネルギーを発散させたいと思う人もいるでしょう。

**悲しい時に歌いたい人は、無意識に自分のストレスを減らそうとしています。**

歌を歌った後に、スッキリする事はありませんか？　それは、歌を歌う事にはストレスを軽減する効果があるからです。

唾液には、コルチゾールというホルモンが含まれています。このコルチゾールは、ストレスを感じると身体を守るために増えるのですが、歌を歌うと減ります。

これは、科学的にもストレスを歌によって減らしていると言えるのです。この目に見えない歌の効果を無意識に期待して、悲しい時に歌いたくなるのです。

歌には、自分の気持ちを助けるという効果の他にも、歌う事で全身の細胞が活性化され、代謝や血行良化、アンチエイジングや免疫力アップ、様々なホルモンも分泌されるなどの、嬉しい効果があります。

美容面や健康面でも良い事はたくさんありますが、歌を歌う事でストレスが発散され、自律神経や血圧も安定するので、認知症防止にも、とても役に立つ事も注目されています。

歌を歌う事で、老若男女に様々な良い効果がこんなにあるのなら、サプリメント等の補助食品も良いですが、ぜひ、日々の生活に歌を取り入れていきたいですね。

# ペットに話しかける声は、自分も癒す声

ペットを飼った事がある、またはペットを現在飼っている人は、自分で意識して聞いてみるとよくわかると思いますが、ペットに話しかける声は、いつもの自分の声と違っていると思いませんか？

「○○ちゃん、おはよう」「○○ちゃん、御飯ですよー」など、様々なシーンにおいて、ペットに話しかける声は、とてもやさしく、いつもよりゆっくりで、トーンも少し高く、かわいらしい話し方になる事も多いでしょう。

人によっては、ペットに対して、赤ちゃん言葉で、「○○ちゃん、かわいいでちゅねー」なんて話しかける人もいると思います。

それだけ、ペットに話しかける声というのは、意識して出しているわけではなく、誰に言われたわけではないのですが、このようなやさしい声になる事が多いのです。

そして、この時の声というのは、どちらかというと、ペットのために出していると思いがちですが、じつは自分にとっても良い効果を得られる声になっています。

ペットセラピーという、ペットに触れて、心身を健やかに保つというセラピーの方法があります。私も昔、犬を飼っていた時に飼い犬を連れて、老人施設に何回かペットセラピーのために行った事があります。

たしかにご老人達は、ペットをなでたり、触れ合ったりする事で笑顔も増え、帰る頃には、とても良い表情になっていて、ペットセラピーの効果を実感しました。

しかし、それは、**ペットに触れるだけではなく、ペットに声がけをする事により、効果は倍増している**と言えるのです。

ペットに話しかけるやさしい声を出すと、人間は血圧とストレスが改善され、身体の中ではエンドルフィン（鎮静効果がある物質）が出て、セロトニンの濃度も高くなると言います。

セロトニンは、鬱などにも効果がある物質なので、自然と鬱状態も改善され、気分も向上していくのだそうです。そのため、**ペットに声をかける事で、自分の声で自分も癒して**

**いる**のです。

このようなやさしい声を出す時、声は、自分をも癒す声に変わります。ペットを飼っている方、動物を見てかわいいと思った時は、ぜひ、声に出して話しかけてみて下さい。

## スポーツ選手は、「シャウティング効果」という声力を使っている

スポーツ選手が、競技の途中や競技前に大きな声を出して、気合を入れているのを見た事はありますか？

例えば、卓球の福原愛さんは、自分が点を入れると、「サー！」と、大きな声でガッツポーズをしていました。

アメフトやバレーボールのように団体で試合をする際、選手たちが円陣を組み、かけ声や、「おー！」と声を出しているシーンも、よく目にする光景です。

スポーツ選手は、なぜ、あのような大きな声を出しているのでしょうか？　それには、

わけがあります。

彼ら選手たちが、大きな声を出すのは、**「シャウティング効果」という声の力を有効に活用する**ためです。

大きな声を出すと、脳は刺激され、アドレナリンという物質が出ます。アドレナリンには、スポーツ選手の**血圧や心拍数を上げて血流を良くし、集中力も高め、身体と心を戦闘状態にする**力があります。

また、団体戦では、**同じ言葉や大きな声を出すことで、チームの団結力を高める効果もある**ので、試合前に円陣を組んで、チーム力を高めています。

このシャウティング効果を使って、スポーツ選手は、より自分を戦闘態勢にし、身体も心も高め、集中しているのです。

スポーツ界では、すでに科学的にも証明されているこのシャウティング効果という声の力は、スポーツ選手ではない、私達の日常にも応用できます。

例えば、大事な会議や音楽会などの本番前、登壇前や試験の前、何か気合を入れなくてはならない、ここぞ！　という時には、シャウティング効果を期待して大きな声を出してみると、思わぬ力が出るかもしれません。

## 声が良ければモテる？　答えはＹｅｓ！

福山雅治さん（俳優）というと、誰もが声が良いと感じるように、「モテ声」というのは存在します。

モテる人というのは、声や話し方で人を引きつけている場合もあり、声が良いというのは何事にも強みになるのです。

誰にでも、もともとの持っている声があるので、モテ声を手に入れるのは無理があり、福山雅治さんと同じ声を出すことはできません。

しかし、モテ声の基準というのはあり、そして、男女によってモテ声の基準というのはそれぞれ違うので、性別ごとのモテ声をわかっていれば、それに似せた声で話す事は可能です。

### ●女性にモテる声

女性にモテる声というのは、限定されています。

・低い声
・太い声
・ゆっくりとした口調
・落ち着いて話す

## ●男性にモテる声

女性にモテる声に対して、男性にモテる声というのは多様性があるので、自分がどのタイプかを見極めて声を選ぶ必要があります。

・高い声
・通る声
・甘い声
・ハスキーな声

これらの声が、男女別のモテる声の基準ですが、女性の場合、高すぎてキンキンした声というのは、男性には嫌がられる傾向があるので、注意が必要になってきます。

このような事がわかっていれば、恋愛やビジネス等であなたの強みになるかもしれません。ですが、声に伴った行動も大事になりますので、声と行動のギャップが不自然にならないように注意したいところです。

## 「絶対音感」は必要？　答えはＮｏ！

「子どもには絶対音感を身につけさせたほうが良いですか？」

新米ママとお話ししていると、よく、このような質問を受けます。

**「絶対音感」とは、ある音を聴いた時に、その音の高さを正確に認識する能力で、楽器の音や声のみならず、生活音も音名（ドレミ）で聴こえてしまう能力**です。

世の中では、絶対音感を持っていれば音楽的に有利だとか、何の音かすぐに当てられるから、かっこいいだとか、絶対音感を天才的な能力というイメージにとらえる人も多いのですが、実際はそうではありません。

もちろん、絶対音感にはメリットもありますが、どちらかというと、デメリットのほうが多いのです。

例えば、あなたの子どもが確実に音楽家になるならば、少しはメリットがあるでしょう。音楽家になった場合、絶対音感があれば、耳で聴いた音を譜面にすぐに書き起こせます。モーツァルトが幼い頃から作曲に長けていたのは、このためとも言われています。また、楽器のチューナーがなくても、完璧に音を合わせる事もできます。

このように書くと、良い事ばかりのように思われるでしょうが、絶対音感には、メリット以上にデメリットが多くあります。

**デメリットとは、日常生活を営むうえで、生活音から雑音まで、すべてドレミで聞こえてしまう**という事です。例えば、雫の落ちる音、救急車の音、扉を閉める音――すべての音です。

そして、世の中には、ズレている音というのが存在します。例えば、誰かの鼻歌や口笛、何かのアラーム曲、電車の発車音楽や、子どものおもちゃの電池が切れかかった時の音程が下がった音など、絶対音感のある人にとっては、いちいち気持ち悪く、不快な音になってしまって、ストレスが溜まってしまうのです。

絶対音感のない音楽家でも、ある程度の音感は持ち合わせているので、これらのズレている音はとても不快でストレスが溜まります。

絶対音感がなければ無視したり、スルーする事ができるのですが、絶対音感のある人は、それらが、どうしても頭から離れないと言います。

何より、この能力のせいで日常生活で不便を感じている音楽家の友達は多く、そばで見ていても、大変そうだと常々感じるので、私は生まれつきでない限り、絶対音感をむやみに身につけるべきではないと思っています。

もし、わが子が音楽の道を選んだら苦労するのでは？　と思われたとしても、音楽家になるくらい音楽を勉強していれば、ある程度の音感は自然に身につきます。音楽家として、絶対音感がなくても何の苦労もありませんので心配はいりません。

そのため、私は「絶対音感は必要？」と聞かれた場合、「Ｎｏ」と答えます。

しかし、補足として、**「絶対音感は必要ありませんが、リズム感は育てたほうが良い」**と助言しています。

なぜなら、正しいリズム感は、音楽を演奏するのに大いに役に立ちますし、リズム感があることでメリットはあっても、デメリットはありません。

また**リズム感は音楽のみならず、運動能力にも影響してくる**ので、リズム感が良ければ、運動能力にとってもメリットがたくさんあります。

絶対音感をお子さんに身につけさせたほうが良いのかと悩まれた時は、メリットだけではなく、デメリットの部分も考えてみて下さい。

リズム感を身につけるのは、大きくなってからでは難しいので、できるだけ、小さい頃に学ぶ事をお勧めします。

## 太っているほうが良い声は出る？　答えはＮｏ！

「太っているほうが、良い声が出るの？」と、聞かれる事がよくあります。

確かに一昔前までは、オペラ歌手や声楽家と言えば、男性も女性も太っている人ばかりでした。

ですので、「歌が上手い人＝太っている人」というイメージのほうが強いのでしょう。

しかし、最近の歌い手事情は違います。オペラ歌手にもビジュアルが求められ、太りすぎている人よりも、役に合う、スマートで美しい人が求められています。

例えば、かわいく若い町娘の役は、太っていて、歳をとっている歌い手よりも、細身で身軽で、若い歌い手のほうが、役のイメージには合いますよね。


**ズバリ言うと、太っているのと、歌が上手いというのは関係ありません。**

## また、歌が上手い事と脂肪の量は比例しません。

しいて太っている事によるメリットを挙げるとすれば、太っていれば重心が下にしっかりと保てるので、歌う時の安定感や軸の感覚が掴みやすいのかもしれません。

ですが、それらは太っていなくても、歌の訓練次第で自然に身につくものなので、やはり太っているからといって、歌に有利というわけではありません。

しかし、一昔前までの歌い手は太っていました。彼らも、歌を学び始めた当初は、そんなに太っていなかったのではないかと思います。ですが、歌い手になってから、どんどんと太っていったのです。

それには、わけがあります。オペラの演目や声楽のコンサートは、大抵が夜です。特にオペラの舞台はとてもハードで、時には、一舞台（一日）で３キロ痩せることもあるくらいです。

そして、舞台が終わると、たくさん歌った後なので、とてもお腹が空いてしまいます。

舞台が終わるのは夜10時頃なので、それから衣装を脱いだり、なんだかんだしていると、夕食を食べられるのは、夜中の11時頃。

その頃には、すっかりお腹が空いているので、オペラ歌手達はもともと美食家気質なのも手伝い、**暴飲暴食してしまう**のです。

このような生活をしているので、**オペラ歌手というのは自然に太ってしまっていた**というわけです。

しかしながら、最近の見た目重視事情や世の中のダイエットブーム、健康ブームのため、歌い手にもビジュアルが求められるようになってきました。

そのため、最近の歌い手は節制していたり、規則正しく生活する人が多く、割合太っている人は少なくなっている印象を受けます。

オペラ歌手や歌い手が太っているというのは、歌を歌うせいではなくて、舞台が遅くに終わり、その後たくさん食べてしまうからであり、決して、太っているから、歌が上手いというわけではないのです。

**歌を歌うと、とてもお腹が空く。これが、歌い手を太らせていた原因です。**

太っているから良い声が出るわけでは、なかったのです。

## 声のアンチエイジングには、ヒアルロン酸とコラーゲンを取る

人の身体は誰でも老化していくもので、肌にしろ、健康にしろ、アンチエイジングという言葉がよく使われるようになりました。様々なアンチエイジング法が世の中にはありますが、声の老化はどのように進んでいくかご存じでしょうか？

声の老化は、声帯が完成される20歳前後から始まり、それには3つの原因があります。

**〔声の老化3つの原因〕**

①声帯の筋肉が衰え、粘膜も変化。
②年齢とともに、肺活量や腹式呼吸による、肺から送り出す息の量も勢いも少なくなり、声が弱々しくなる。
③特に女性は、女性ホルモン（正確には、女性ホルモンに含まれる、エストロゲンという成分）の減少。

これらの3つの原因が、声の老化を進めてしまうのですが、特に③の女性ホルモンの減少は、女性にとっては声が変わる一番の原因にもなります。

声は、女性ホルモンとの関係が深く、女性が閉経する更年期には、女性ホルモンの減少により、今までよりも低くなる傾向があります。

そして、女性ほどではありませんが、男性も高齢になると声帯がやせ衰え、声に迫力がなくなっていくのです。

このように、人の声は老化していくのですが、声のアンチエイジングというのは、人の肌や身体ほどには、世の中に知られていません。

しかし、声のアンチエイジング法は、昔からありました。

20年ほど前のプロの歌い手の声のアンチエイジング法は、更年期にさしかかってくると、身体に女性ホルモンを注射する事でした。

女性ホルモンを注射する事で、体内の老化や更年期を遅らせ、声（声帯）を若く保つのです。

女性ホルモンを注射しているので、当然、更年期や女性としての声帯以外の他の老化も止めてしまっている状態となり、60代でも生理のある歌い手も多くいました。

このように、歌い手たちが声のアンチエイジングをして声を保っている事を、当時、ウィーンに留学中だった20代の私は、オペラ座等で歌っている第一線の歌い手達から直接聞き、プロの世界は凄いと驚いたものです。

20年前の声のアンチエイジングは、身体にホルモン剤を打つぐらいしか方法がなかったのですが、今は違います。最新の声のアンチエイジング法は、衰えている声帯に直接ヒアルロン酸とコラーゲンを注入し、ダイレクトに効果を得るものだそうです。

しかしながら、このような医学的なアプローチは、効果が出ても一時的になってしまいます。ですので、やはり**一番効く声のアンチエイジング方法は、声を出し続けている**事です。

常に発声練習をし、腹式呼吸で練習している人は、何もしていない人よりも、声は明らかに若々しいと言えます。

声を出し続けている事が、もっとも有効なアンチエイジングです。健康や肌などのアンチエイジングのように目に見えるわけではないので忘れがちですが、ぜひ、日々の声のアンチエイジングもお忘れなく。

## 日本語は「2音程」で、腹式呼吸をしなくても話せる平らな言語

昔、留学でヨーロッパに行っていた時に、何か月も日本を離れ、久しぶりに日本に帰ってきて、大勢の人が話す日本語を聞いた時、とても平べったく聞こえ、物凄く違和感を覚えた事があります。

その違和感は、一週間ほどで耳が慣れてなくなりましたが、それは、いかに日本語が平坦な音の言語なのかを知るきっかけになりました。

その違和感の原因を知りたかったので、当時、日本語の教師をしている友人に聞いたところ、**日本語は、ほとんど「2音程」でできている**事がわかりました。例えば、図のような感じです。

2音程でつくられる日本語は、音程数が2つしかないので平坦に聞こえ、さらに、口を

## 日本語は 2 音程

トマト（日本語：高低アクセント）

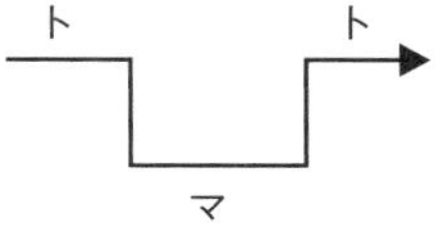


全ての音の長さは同じ

高低だけで発音する

開けないで発声する事が多いので、**「腹式呼吸をあまり使わなくても、口先だけで言葉にする事ができる言語」**なのです。

一方、ヨーロッパの言語は、音程が様々あり、言葉の中にも強弱が必要で、リズム感も必要になります。

そのため、外国人は、強く息を使ったり、唇の動きも多いので、話す時に自然に腹式呼吸や、息の力を借りなければ、滑舌良く話す事はできません。

さらに、日本語を話すぐらいの少量の息の力では、音量も足りず、相手に伝わらないのです。

つまり、外国人は、日常会話をしているだけで、相当の声と息のトレーニングになって

## ヨーロッパの言語は音程と１音の長さが様々

Tomato（英語：強弱アクセント）

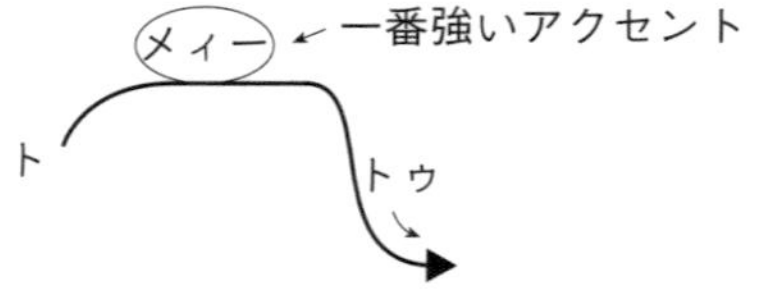


一番強いアクセント部分が、
長く、強く、高い（メィーの部分）

最初のトと最後のトゥは、
短く、弱く、低い

いると言えるでしょう。

このような言語を普段から使っている外国人は、声の出し方が割合上手で、歌を歌う時も、トレーニングなしで朗々と歌える人が多いのです。

ですので、口の開け方や音程数等が独特の日本語は、外国語に比べて、声を出すという事に関して、不利と言わざるを得ません。それゆえに、日本人は特に、日々の声の出し方に気をつけて生活する必要があります。

日本でも、歌い手は話し声が大きく、良く響く声で話すと思った事はありませんか？

それは、彼らが声の出し方の基礎ができていて、自然に良い声で話しているというだけではなく、彼らは意識して、歌を歌わない時も、話す事でトレーニングしているのです。

このように、日本語と外国語には、発声に様々な違いがあります。ですが、この違いをよく知り、日常生活で腹式呼吸と口の開け方、滑舌良く響く声を意識しながら話していると、日本語を話す時も、声のトレーニングをする事ができるのです。

## 子どもに聴かせたら将来役に立つ音楽の選び方

「子どもにどんな音楽を聴かせたら良いですか？」

と、聞かれる事がよくあります。

子どもには絶対音感は必要なく、それよりもリズム感が必要ですとお話ししましたが、このリズム感を育てるためには、ソルフェージュ（＊）等の学びも大切かもしれませんが、そういう勉強をする事よりも大切なのは、**日々、何気なく聴いている音楽からの影響**です。

**日本人は、裏拍（＊）とワルツ（＊）のリズムを取るのが苦手な民族**です。それは、日本人は昔から、ヨナ抜き音階（＊）等の独特の音階と拍感（拍を感じる感覚）を持つ民族なので、その拍感が今も日本の音楽や演奏者には残っているからです。

その拍感が外国人とは違うので、音楽家を志す者や音大生らには、それを矯正して、西洋の音楽の拍感を掴むのに苦労する人が多くいます。

しかし私は、その日本人特有の拍感に悩む事はありませんでした。それは、父が、私が幼い頃から家や車の中では洋楽を聴き、また家の中でかけているラジオが英語のニュースだったからだと思っています。

さらに、私はあまりテレビには興味がなく、テレビをほとんど見ていなかったので、当然、日本のアイドル曲やＪ－ＰＯＰと言われるものを一切聴かずに過ごしていました。

この生活環境が、私がクラッシック音楽を演奏するに際して、リズムに苦労しなかった理由だと考えています。

このような経験から、幼い時に聴いている音楽や音は、その人のリズム感に大きく影響する事を実感したので、**幼い頃の音楽を、ある程度は親が選んであげる事も大事**だと思っています。

では、どのような音楽を聴かせてあげればいいのでしょうか。方法はとても簡単です。

同じ楽譜を使っていても、演奏者の拍感によって演奏やリズム感は違ってきます。ですので、例えば、ショパンのピアノコンチェルトを聴く時は、ＣＤの演奏者が記載されているところを見て、ピアノやオーケストラはどこの国の人が弾いているのか確認してみて下さい。

そして、**曲を選ぶ時には、歌にしろ、楽器にしろ、なるべく外国人の演奏者のもの**をお勧めします。

誤解のないように書きますが、私は日本人の演奏を否定しているわけではありません。例えば、日本の三味線を外国人が学ぶ時には、日本人の拍感を身体で掴む事が大事だというのと同じように、西洋音楽を演奏するうえで、西洋人の拍感を掴む事は大事だとお伝えしたいのです。

外国人の演奏を聴かなくてはと、固執する必要はありません。日本の童謡やアイドルの曲も、その子の興味や、お友達とのおつきあいのうえで、知っていると楽しめる事も多くあるので、極端に日本の音楽を排除する必要はないと思います。

日々、何気なく聴いている音楽が、子どものリズム感を育てている事を親が知り、何かの曲を選ぶ時は、少し気をつけてあげられたらいいですね。

注釈（＊）

・**ソルフェージュ**　クラッシック音楽を学ぶ事において、楽譜を読む事や音を聴くこと、書くことを中心とする基礎訓練。

・**裏拍**　拍を前半と後半に分けたうちの、後半の部分を意味する。

・**ワルツ**　ヨーロッパで好まれた、3拍子の舞曲、舞踊、円舞曲。

・**ヨナ抜き音階**（五音音階）　日本固有の音階。ドレミファソラシのファとシを抜かした音階。

## 喉を強くしたいなら、喉を甘やかしてはいけない！

喉についての様々な質問を受ける事が多いですが、その中でも多いのが、

「喉を強くするにはどうしたらいいですか？」

という質問です。

その様な質問を受けた時は、このようにしてお答えしています。

**「喉を甘やかしてはいけません」**

そう言うと、皆さん驚かれますが、私は、いつもこのように答えています。

音楽家で、特に「声楽家です」と言うと、さぞや日常生活をするうえで、喉に対して、デリケートで、色々なケアをしていると思われがちですが、私の場合は違います。以下の質問に対しても、こう答えています。

**Q**　いつもマスクをしているのですか？

**A**　いいえ、マスクをするのは、自分が風邪を引いている時や、新型コロナウィルス予防の時、また、本番3日前からの外出時と、飛行機に乗る時（飛行機の中は物凄く乾燥しています）だけです。

**Q**　うがいは頻繁にするのですか？

**A**　いいえ、うがいは皆さんと同じ程度です。その代わり、外出して帰宅した時や、何かを食べる前には必ず手を洗います。

ですが、おそらく他の人と違う点としては、手洗いをした際の、手拭きのタオルは家族全員、違うものを使っているという事でしょう（つまり、家族で手拭きタオルを共有していません）。この方法を取るようになってから、家族内での風邪のうつし合いは、ほとんどなくなりました。

**Q　加湿器はガンガンにかけているのですか？**

**A　いいえ、加湿器は居間に1台、冬の間、ウィルス対策としてかけているだけです。**

このように、読んでいてわかると思いますが、私の生活スタイルは、手拭きタオルを共有しないという事以外は、ほとんど皆さんと同じだと思います。

つまり、皆さんが考えるような、特別な事は何もしていません。むしろ、過剰な事はしないようにしています。

それは、**喉は甘やかすと、どんどんと弱くなるからです。守れば守るほど、喉は敏感になり、過酷な状況に適応できなくなります。**

歌を歌う時の音楽ホールは、ほとんどの場合は乾燥しています。それも、結構ひどい乾燥です。ホールによっては、除湿に力を入れていて、機械で湿度をコントロールしているところもあります。

なぜなら、ピアノやヴァイオリンなどの弦楽器は、乾燥していないと良い音が出ないからなのです。

そのため、それらの楽器を良い音色にするために、特に湿度の高い日本のホールでは、乾燥させるように心がけています。

楽器は、それで良いのかもしれませんが、歌の場合は湿度を求めます。若い頃は、歌のテストの時や本番の日が雨だと喜んだほどでした（逆に、ピアノや弦楽器専攻の友達は、雨だとがっかりしていました）。

このように、乾燥したホールで歌う状況に慣らさなければならないため、私は日々、喉を甘やかさないようにしています。

この、喉を甘やかさない方法は、どんな環境でも声が出せるようにするために、歌い手だけでなく、登壇する人、そして喉を強くしたい人、すべてに有効だと思います。

喉を甘やかさない。これが、良い声を常に出せる極意で、喉を強くする事への一番の近道なのです。

# 第5章

# 気になるあの人の声をプロファイリング

## 自分の声はどのタイプ？ 8つのタイプ別診断

ここまで、声について様々な考察をしてきましたが、果たして自分の声はどういうタイプなのか、気になるところではないでしょうか。

左ページに、簡単に自分の声の特徴がわかるチャートを用意しました。

タイプはA～Hまでで、全部で8つ。

このチャートに沿って、声のタイプ別にお話ししていきたいと思います。

ぜひ、ご自分の声のタイプや、気になる人の声のタイプの部分を読んでみて下さい。

自分では気がつかなかった、意外な発見もあるかもしれません。

気軽な気持ちで質問に答えてみて下さい。

# 声のタイプ別チャート

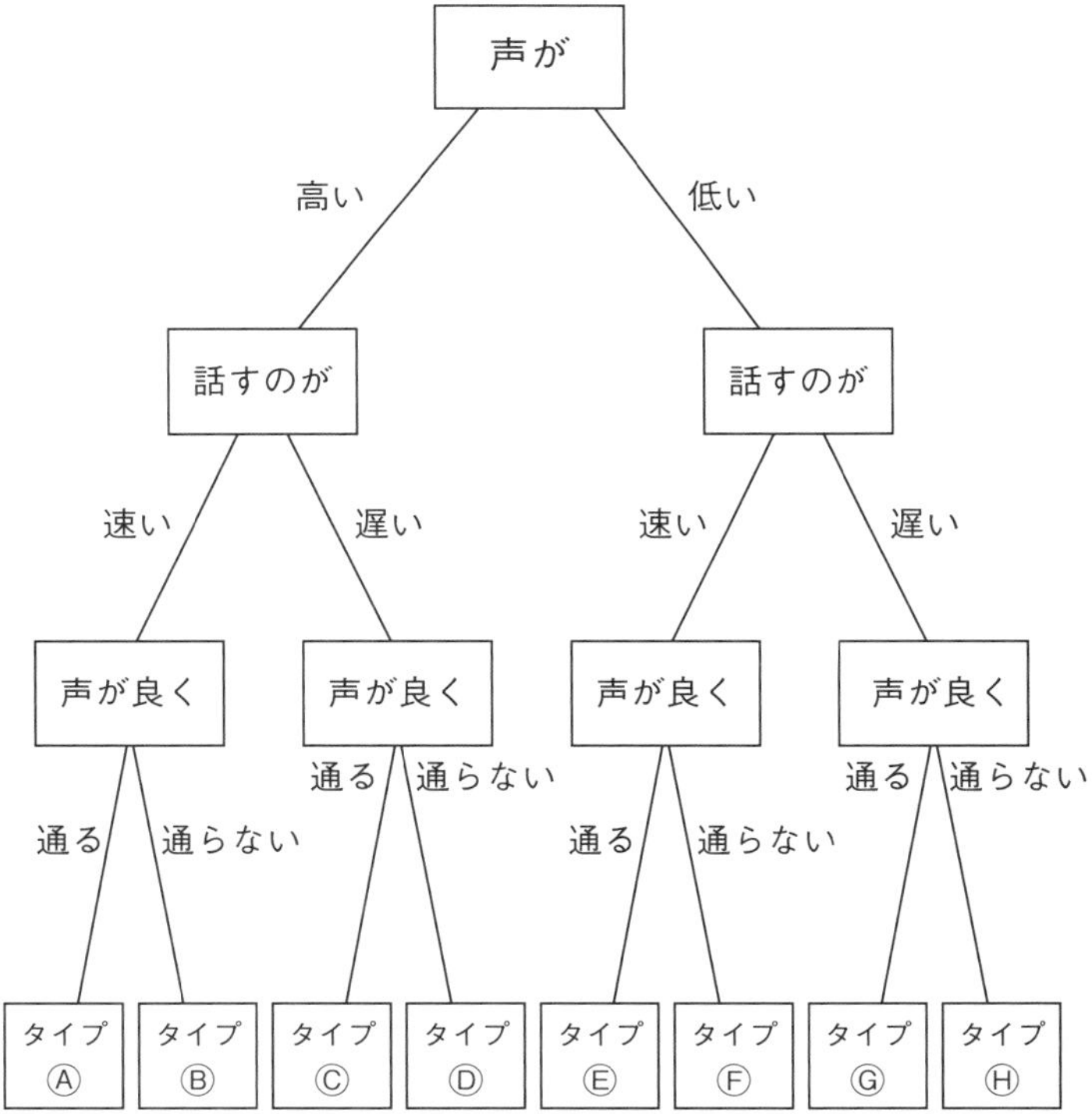
声が
高い
低い
話すのが
話すのが
速い
遅い
速い
遅い
声が良く
声が良く
声が良く
声が良く
通る
通らない
通る
通らない
通る
通らない
通る
通らない
タイプⒶ
タイプⒷ
タイプⒸ
タイプⒹ
タイプⒺ
タイプⒻ
タイプⒼ
タイプⒽ

## Aタイプ

Ａタイプのあなたは、声が高く、話すのが速く、良く通る声の持ち主。

このタイプの人は、とても快活に思われます。女性なら、向日葵の花のようだと言われた事もあるのではないでしょうか。とても声が通るので、まわりの人も、あなたの発言をよく聞いてくれるかもしれません。

ですが、一つ気をつけたいのは、時と場合によっては、キンキン聞こえてしまう事があるので、その点は、ＴＰＯに合わせて、声のボリュームに気をつけてみて下さいね。

## Bタイプ

Ｂタイプのあなたは、声が高く、話すのは速く、しかし、声が良く通らないと感じているのですね。声が高いという事は、もともと通りやすい声を持っています。

しかし、声が通らない自覚があるという事は、２つの原因が考えられます。１つは、声を出す時に息の量が足りない事（つまり腹式呼吸ができていない）。もう1つは、声を鼻腔に集める事ができないので、声が散漫になってしまっているという事です。

## Cタイプ

Ｃタイプのあなたは、声は高く、話すのは遅く、良く通る声の持ち主です。

まず、話すのが遅いのに、良く通る声というのは素晴らしい事です。

歌を歌う時、速い曲と遅い曲、どちらが難しいと思いますか？　速い曲のほうが、口をたくさん動かさなくてはならないので、難しいとお思いの方が多いですが、じつは、本当に難しいのは遅い曲です。

速い曲は、言葉の調子や勢いで、なんとなく、それらしく歌えてしまうものですが、遅い曲というのは誤魔化しがききません。本当の実力というのは、遅い曲でこそわかるのです。

なぜなら、遅い曲は腹式呼吸がきちんとできていて、息がたっぷりないと歌えないからです。それらの息の使い方ができていないと、息が足りず失敗します。ですので、遅く話し、しかも良く通るあなたの声は、息の使い方がきちんとできているのだと思います。

## Ｄタイプ

Ｄタイプのあなたは、声が高く、話すのが遅く、しかし、声が良く通らないと感じているのですね。

声が高く、早口でなく、ゆっくり話すというのは、声が高い人にありがちな、キンキン声になる可能性は低いので良いと思います。

ですが、声が通らないというのは、原因は息が足りていないからなのです。ですので、息を深く吸い、腹式呼吸を身につける事で、声がより集まり、通るようになるでしょう。

## Eタイプ

Eタイプのあなたは、声が低く、話すのが速く、良く通る声の持ち主です。

声が低い人は、大抵話すのが遅いので、声が低いのに早く話すあなたは、珍しいタイプと言えましょう。そして、良く通る声をしているという事は、鼻腔も良く使い、響いているという事なので、自分の低い声をちゃんと使いこなしているのだと思います。

## Fタイプ

Fタイプのあなたは、声が低く、話すのが速く、しかし、声が良く通らないと感じているのですね。

Eタイプでもお話ししましたが、声が低い人は大抵話すのが遅いので、あなたも、声の低いタイプとしては、珍しい人かもしれません。ですが、声が通らないというお悩みもあると思います。

それには、まず、ゆっくりと話し、鼻腔を共鳴させながら話すという事にトライしてみて下さい。そうする事で、あなたの低い声はよく通り、低い声の人の持つ、落ち着いた良い声を手に入れる事ができるでしょう。

## Gタイプ

Ｇタイプのあなたは、声が低く、話すのが遅く、良く通る声の持ち主です。

このタイプの方は、低く、ゆっくり落ち着いて話し、声も良く通る、響いている声なので、「良い声ですね」と言われる事がよくあるのではないでしょうか。信頼されやすい声とも言えましょう。一方で、良い声なのですが、使い方が難しい声とも言えます。響かせすぎて、時には、ガーガーと響きすぎてしまい、うるさいと感じられてしまう事もあるので、呼吸の量と、鼻腔の響かせ方のバランスを取るようにしましょう。

## Hタイプ

Ｈタイプのあなたは、声が低く、話すのが遅く、しかし、声が良く通らないと感じているのですね。

この声の方は、ご自分の持っている低くて落ち着いた良い声を、コントロールできていないので、声が通らないのだと思います。

声は高くて軽い声よりも、低くて重い声のほうが、コントロールをするのが難しいと言えます。それは、低い声のほうが、より腹式呼吸と鼻腔の響きの力が必要だからなのです。このタイプの方は、第3章で書いてある、「むー」と響かせる練習をよくしたうえで、腹式呼吸を取り入れていくと、男性で言えば、阿部寛さんのような声を手に入れる事も可能です。


ご自分のタイプ別診断はいかがでしたでしょうか。

タイプ別に様々に良いところがあり、一方で、お悩みもあるかと思いますが、これらのお悩みは、第3章を読まれると、ほとんど解決できます。

そして、ご自分のタイプだけでなく、他のタイプのところも読んでみて下さい。

特に、ご自分の前後のタイプには、声のヒントになる事がたくさん隠されていると思います（例えば、Cタイプの方は、前後のBタイプとDタイプも読んでみて下さい）。


声は、生まれ持った、あなたの大切なチャームポイントにもなり得ます。ご自分の声を理解し、研究し、そして、最大限活かせると、魅力的な声の持ち主になれるでしょう。

## 気になるビジネスマン　スティーブ・ジョブズ、三木谷浩史

### ●スティーブ・ジョブズ

言わずと知れた、アップルの創設者。

ジョブズ氏の声は、やや高く、そして早口です。声の特徴はというと、演説の声も普通に喋る声もそんなには変わりがありません。それが何を意味するのかというと、彼は根っからの技術者だという事を意味します。

経営者と呼ばれる人には２つのタイプがいて、１つは、皆さんが経営者と言えばイメージしやすい方。話も上手ですし、人にきちんと伝わるように話し、そして、どのように話せば人を引きつけられるのかと、日々考えているような人

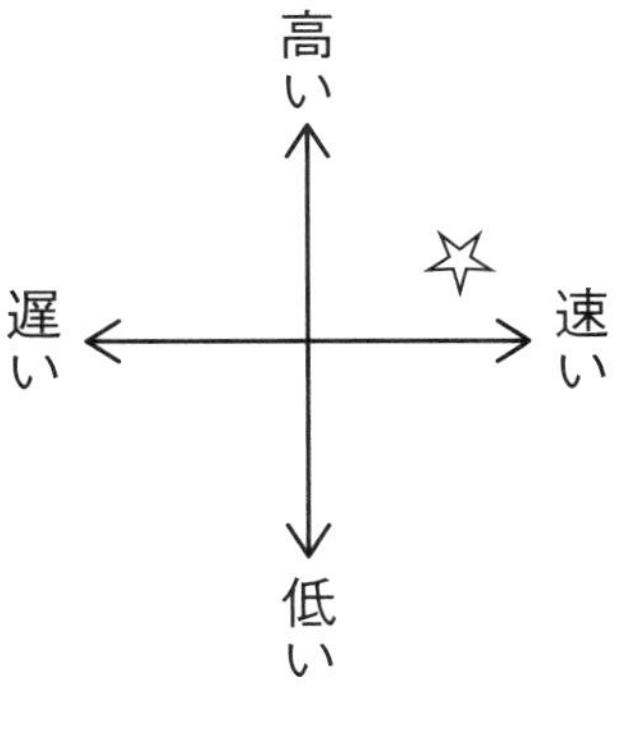

です。

そして、そのような人は、話すという事に関して向上心があるので、どんどん話し上手になっていくという特徴があります。

そして、もう1つのタイプは、根っからの技術者で、経営の事は考えてはいるものの、製品の事ばかりを考えているので、引きこもる事も多く、人前で話す事も少ないのが特徴です。

そして、話す時に声の響きを使おうとしないのと（登壇中も普通に隣の人に話すように話してしまう）、自分の考えは話しますが、人にどう伝えようかと考えていないので、話し方は上達しません。

ジョブズ氏の声は後者の声で、若い頃の声と晩年の声（晩年と言っても、彼は50代で亡くなっていますが）に、ほとんど変化が見られないのが特徴であり、まさに技術者気質で、製品の事ばかりを考えていたであろう事がうかがえる声でした。

**●三木谷浩史《みきたにひろし》**

楽天株式会社の創設者で、代表取締役会長兼社長。

三木谷さんの声は、やや高く、とても鼻腔に響く声です。

お顔を見ると、頬骨がしっかりと出ているので、まさに鼻腔に響きやすい声というのも頷けます。

三木谷さんは、鼻腔に響く声を出しているので、たくさん話したり、喉を使いすぎると、声帯と腹式呼吸のバランスの重心が上がってきてしまい、声帯に負担がかかるように思います（いい意味でも悪い意味でも、鼻腔を使いすぎてしまっているのです）。

それを未然に防ぐには、話しすぎたなとか、少し喉が変だなと感じたら、声の重心を下げれば、喉の違和感はなくなります。

その方法は簡単で、舌を軽く噛み、「んーーー」と、胸で音を響かせると、重心は戻り、声帯も正常に動き出します。

この方法は、三木谷さんのような、鼻腔を使いすぎる人や、喉を使いすぎてしまったなと思った時にも使えるので、やってみると、即効性を感じる事ができるのでお勧めです。

今回、楽天に勤めている、友人のAさんに、普段の三木谷さんのお声について、聞かせてい

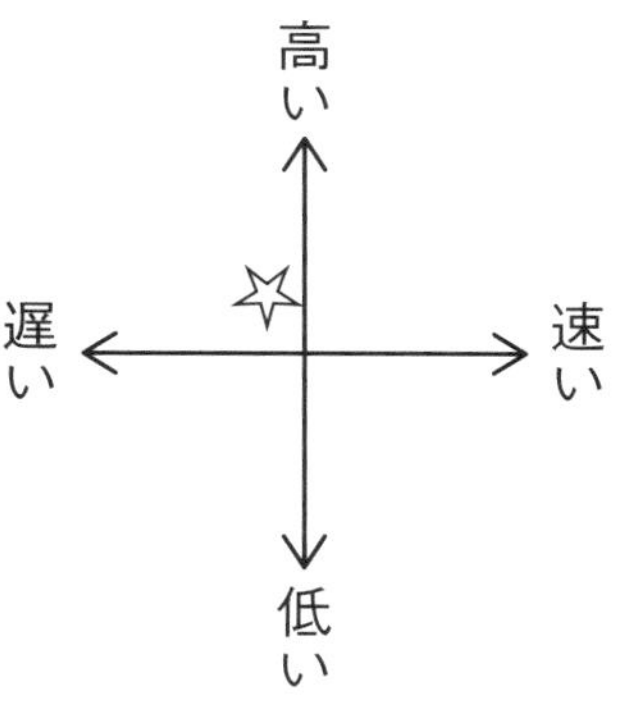

ただきました。

三木谷さんは、喉はあんまり強くないそうで、お気に入りの、のど飴を食べて、声の状態をキープしているというお話を聞き、経営者として話すという事は大切なので、喉を大事にしている事がうかがえました。

そして、三木谷さんは、たとえ言っている事がハードでも、話し方や声がソフトなので、すんなり受け入れやすく、Aさんや、社員達はとても助かるのだそうです。

なるほど、北風と太陽のように、やはり旅人のコートを脱がせるのは、太陽のような穏やかな声なのだなと、友人と話していて感じ、ビジネスにおいても、経営者の声の出し方一つで、社員のモチベーションも変わってくるんだと実感しました。

## 気になる俳優　濱田マリ、阿部寛、田辺誠一

**●濱田《はまだ》マリ**
女優、ナレーター、声優等の様々なシーンで声の存在感が誰よりもある濱田さんの独特

な声は、日本に住んでいれば、ほとんどの人が耳にした事があるのではないでしょうか。

濱田さんがなぜあんなに色々な声を出す事ができたり、通る声になるのかというと、一番の理由は、濱田さんの顔の骨格にあります。

第3章でも書いたのですが、濱田さんの顔の骨格は、歌が上手くなりたい人にとっては、とても理想的な骨格です。横から見ると、顎が少し前に出ていて、エラもはっていて、頬骨も出ている。まさに歌が上手くなりたい人が、喉から手が出るほど欲しい、お手本のような理想的な骨格なのです。

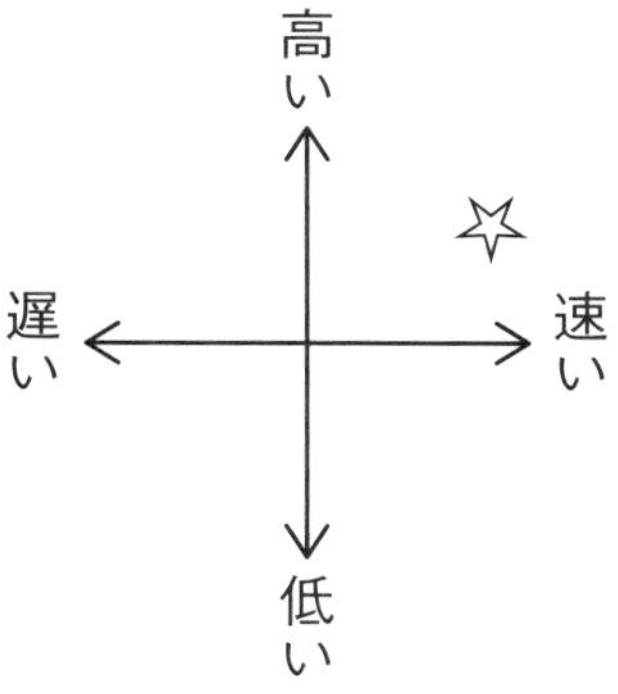


## ●阿部《あべ》寛《ひろし》

阿部寛さんというと、今や、誰もが知る人気俳優。声も独特で、背が高く声帯も長いので、とても低い声が出ます。

ファッションモデル出身の阿部さんは、イケメンで、背が高すぎるがゆえに、俳優としては女性との2ショットのバランスが悪いため、仕事が激減した時期があったそうです。

しかし、三枚目の役を演じるにあたり、色々な喋り方や声を出すようになってから、役の幅も広がり、再ブレイクしたとの事でした。この話を聞いて、役者さんは、演技と同じぐらい声も大事という事を実感させてくれた人物でした。

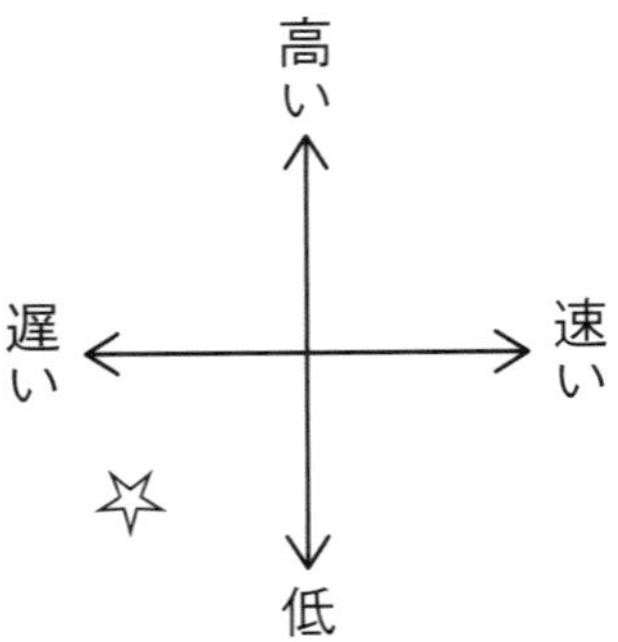


### ●田《た》辺《なべ》誠一《せいいち》

田辺誠一さんも、色々な役ができる俳優さんです。最近は独特の画法で、画伯としての田辺さんを知る人も多いのではないでしょうか。

田辺さんの声は、特別目立つ声というわけではありません。

しかし、時々、とても良い声を出す時があります。そういう時は決まって姿勢が良い事に私は気がつきました。

濱田マリさん同様に、田辺さんもじつは、顎が少し前に出ていて、頬骨も人より出ていて、エラもはっているので、声を出すうえで骨格的にはとても恵まれていると言えるでしょう。

しかしながら、いつも穏やかな話し方をされるせいか、日常的に息の力をあまり使っていない事と、少し猫背気味なので、それほど目立った声にはなっていないというのが現状で、まだ声として、開花していないのかもしれません。

ですが、持っている骨格は素晴らしいので、これからの田辺さんの声は、意識とやり方次第で、凄く良い声になるのではないかと、とても期待しています。

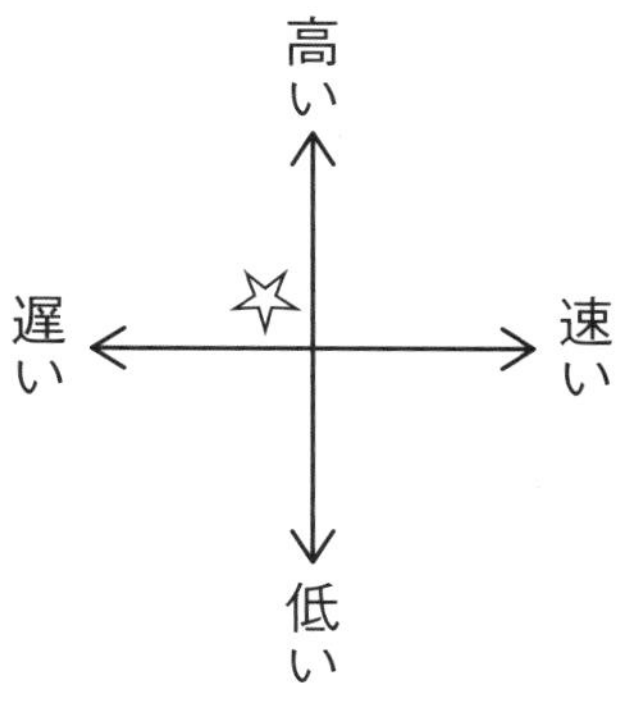


## 気になる芸能人　明石家さんま、クロちゃん

### ●明石家《あかしや》さんま

明石家さんの声を思い浮かべて、すぐに思い出されるのは、あの独特の関西弁と、時折話に混ざる、「ヒァー！」という笑い方でしょうか。

あの笑い方はとても独特で、普通は、息を吐きながら笑い、笑い声になるのですが、明石家さんの場合は、息を吸って、あの笑い声をつくっています。

それだけでも、声帯の状態は大丈夫なのかと心配になるのですが、それ以外の話す声も高めで、ハスキーというか、かすれた声に聞こえます。もしかしたら、相当声帯に負担がかかり、ポリープや炎症、声帯が閉じなくなるというトラブルに見舞われた事もあるのではないかと、声の専門家としては気になるところですし、心配になります。

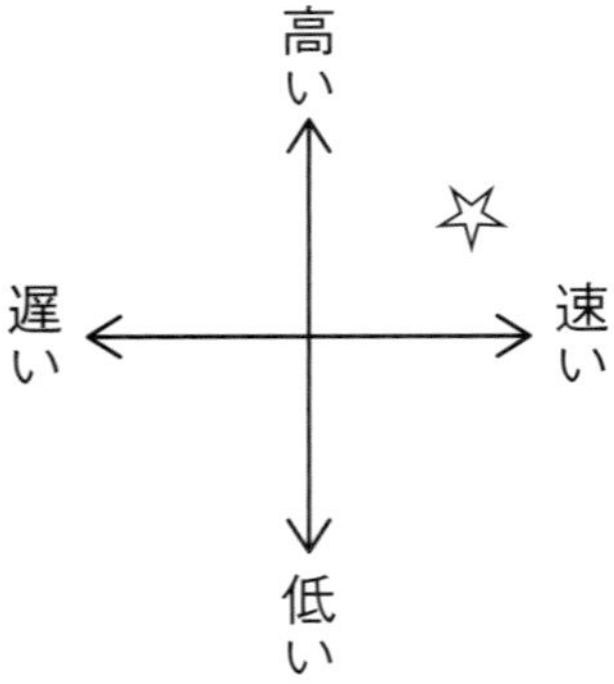


しかしながら、そんなトラブルがたくさんありそうな明石家さんですが、「あの声、不快だよね」とか、そういうネガティブな話は聞いた事がありません。

という事は、芸能人として、明石家さんの声は確立していますし、受け入れられているのでしょう。私も、あの声を聞いて心配にはなりますが、嫌いではありません。ですので、喉のケアを万全に、いつまでも面白い声のさんまさんでいてほしいと思っています。

### ●クロちゃん（安田《やすだ》大《だい》サーカス）

安田大サーカスのメンバーの一人で、イカツイ身体と、イカツイ顔を持つクロちゃんは、見た目とは違い、物凄く高くかわいい声で、はじめて聞いた時は、「えーーー！」と声が出てしまうほどビックリしました。

そのインパクトゆえに、すぐに誰にでも認知され、芸能界においてのプロモーションとしては、大成功の例なのではないでしょうか。

「ギャップ萌え」という言葉が近年流行りつつあるように、人は、ギャップを間近で見ると、一瞬、脳が混乱してしまいます。

それは、人間が頭の中で予測している事が裏切られた場合に起こる混乱で、その混乱が起きると、恋愛関係ですと、恋と錯覚してしまったり、その人に興味が湧いて、なんでこんなギャップがあるのだと、頭の予測の修正のためにさらに、その人を知りたくなるそうです。

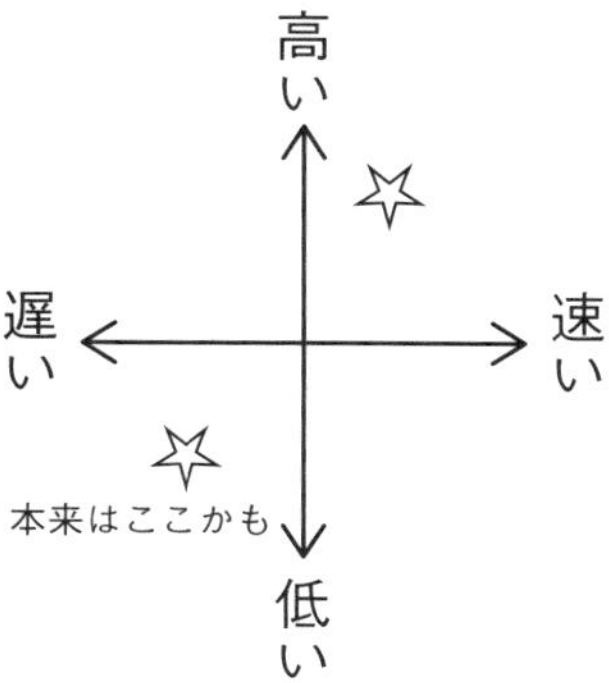


これを心理用語でいうと、「ゲインロス効果」と言い、最初にマイナスの印象を与え、そ

の後にプラスの印象を与えると、より相手に好印象を与えられるという心理現象でもあり、恋愛テクニックとしても有名です。クロちゃんの声も、その現象をしっかりと使いこなしていると言えるでしょう。

一方で、安田大サーカスの団長さんに、あの声が低くなったらクビと言い渡されているらしく、そして、クロちゃん曰く、未だ声変わりの途中なんだそうで、段々声が低くなっているとの事でした。

あの体格、身長、顔の骨格を見ると、本来は、とても低い声の持ち主だと思いますが、あのかわいらしい声によって、お仕事をしているので、その声をキープするのは大変な事なのかもしれませんね。

## 気になる天才　美空ひばり

12歳でデビューしてから、天才の名をほしいままにしてきた美空《みそら》ひばりさんの声は、万人に愛された声でした。

美空さんの声の一番の特徴として、話す声と、歌う声がずいぶん違うという事がありま す。普通の人は、歌も話し方も自分の得意な音域に自然に合っていくのですが、美空さんの場合、高い声から低い声まで、自分の中で、どちらが苦手というわけではなく、自由に使いこなせていた事がうかがえます。

骨格としては、歌ううえで申し分ありません。

特筆すれば、頬骨が出ているのがとても良いと思うのですが、これは、もしかしたら生まれつきではなく、歌い込んだ後の、後天的変化なのかもしれません。

というのは、顔のバランス的に、他のパーツはそれほど目立って出ていたりしていませんが、頬骨だけがアンバランスに出ているからです。

残念ながらお亡くなりになってしまっているので、確認する事はできませんが、もしも美空さんが歌をやめた場合、何年かで頬骨のまわりの筋肉は落ちて出っぱりも目立たなくなり、もとのお顔に戻る可能性があったでしょう。

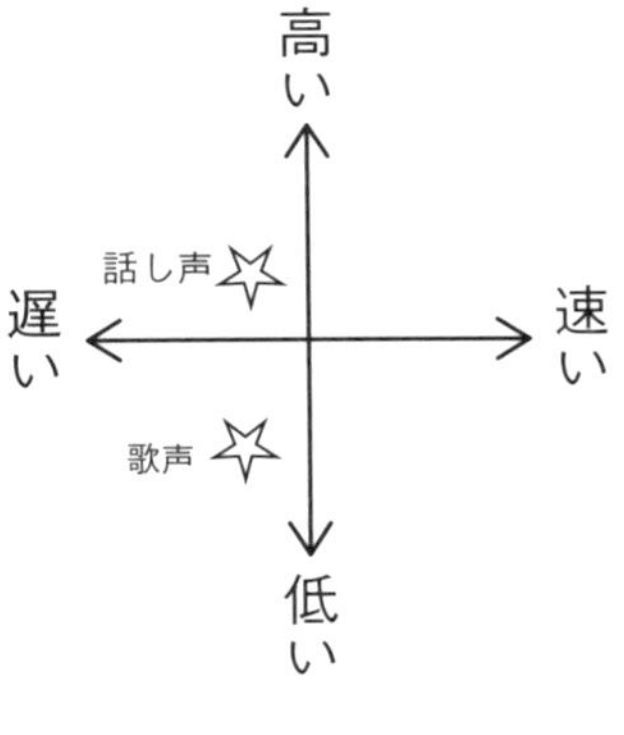

近年では、紅白歌合戦の出し物の一つとして、ＡＩによる、美空ひばりさんの姿と歌を披露して話題になりましたが、やはり、美空さんの声は本人が歌ってこその声で、ＡＩによる披露は、失敗だったのではないかと私は考えています。

それは、ＡＩだから失敗というわけではなく、ＡＩの歌をつくるのに、美空さんを選んだ事が失敗の原因だと思っています。

なぜなら、美空さんの声の持ち味は、ズバリ「人間味」であると思うからです。美空さんは歌うためのテクニックも、もちろん人よりも長けているのですが、何よりも、美空さんの歌声の良さというのは、人間味に溢れていて、人の心とシンクロするため、歌詞一つ一つが、人々の心に響いて、話しかけられているように感じるのです。

ですので、そこを表現するのは、ＡＩの最も苦手とするところなのではないかと思っています。

美空さんの歌は「人間味に溢れている」それゆえに、今も良い歌だ、良い歌手だと言われ、万人に愛されているのではないかと思います。

## 気になる歌手①　尾崎豊、松任谷由実

**●尾崎豊《おざきゆたか》**

尾崎さんは、間違いなくイケ声（イケメン声）です。骨格としての特徴としては、エラがしっかりとはっていて、顎も良く見ると、少し前に出ています。

声の特徴としては、一音一音がとても深い声をしていて、少しハスキー声が入っています。それがまた、ただのイケ声とは違って、渋みと哀愁が出ていて、人に訴えかける歌い方をし、人の心を掴む歌声をつくっています。

生前、世間を騒がせる色々なこともあったようですが、歌い方や声を聴く限り、とても真っ直ぐで、人間が好きな人であったのではないか

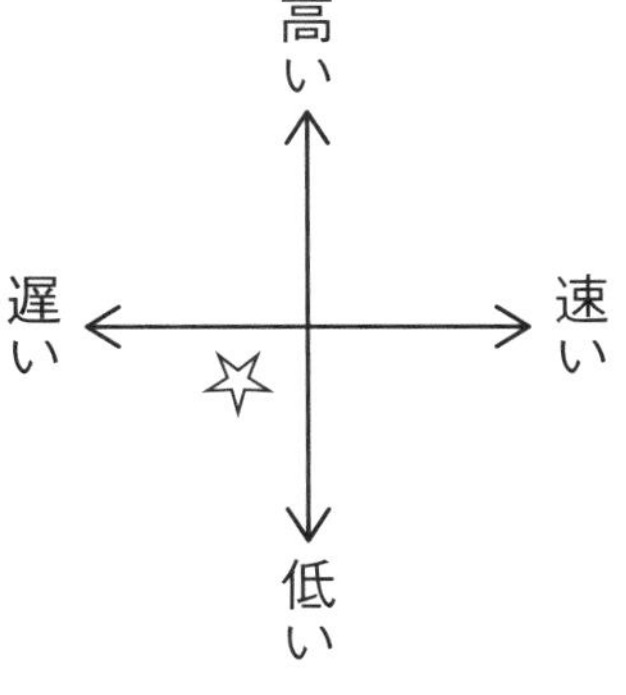

と、個人的に思いました。

### ●松任谷《まつとうや》由実《ゆみ》

松任谷さんの曲に初めて出会ったのは、高校生の頃。文化祭の準備期間に校内に流れていたのを聴いた時でした。曲は『真夏の夜の夢』で、この曲を聴くと、今もその頃の気持ちが甦ります。

初めて聴いた時に一番気になったのは、その歌声でした。

今まで聴いた事もない、そして、大人になった今でも、似たような声を聞いたことはなく、一体どこから声が出ているのだろうと、若いながらに疑問に思った事があります。

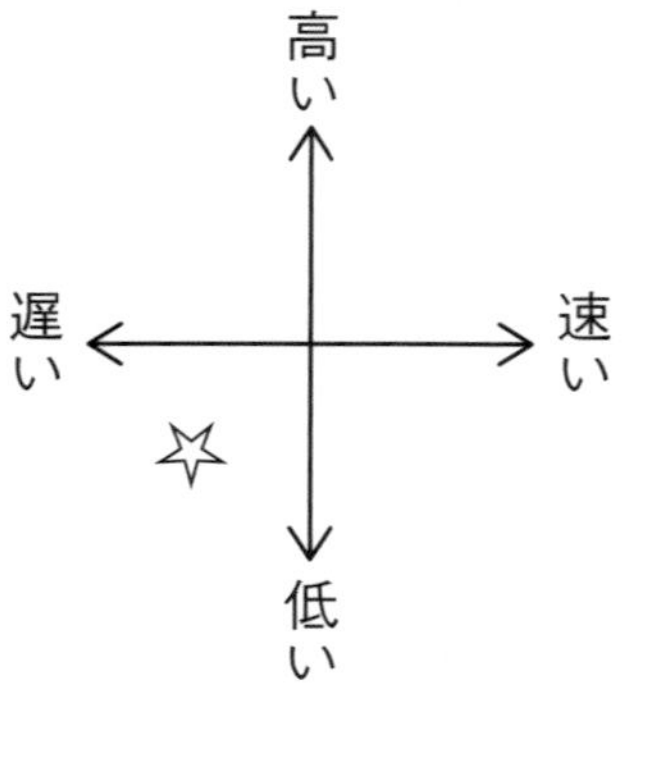


松任谷さんは、自身の声について、学生時代にオルガンの音を聴いた時に衝撃を受けて、そのオルガンの共鳴が身体にコピーされてしまい、この声になってしまったと話しています。なるほど、その時の共鳴が、身体と脳に影響を与えた事は間違いないと、それを聞いて思いました。

音声の心理学として、一音の中の音の高低差があるよりも、ないほうが、人というのは聴いていて安心する事があります。モンゴルの「ホーミー」という独特の歌い方も、その原理を応用していて、ホーミーを聴くと、人の心が落ち着くという作用があり、日本のお経もその要素が強いとされています。

本来歌というのは、一音の中の高低差やボリュームの差を大きくつける事で、人の心を揺さぶり、心に訴えていきます。

しかし、松任谷さんの歌声は、ホーミーの様に、一音の中の高低差がなく、とても安心感のある歌声だと思います。それによって、聴き手は、ドキドキはしませんが、歌詞の内容を、フムフムと冷静に理解することができ、松任谷さんのファンの方はその辺にも魅力を感じているのではないでしょうか。

## 気になる歌手② 宇多田ヒカル、平井堅、MISIA

### ●宇多田《うただ》ヒカル

宇多田ヒカルさんの声を初めて聴いた時、今までの日本人の歌い方をガラッと変えてきた、言うなれば、新世代の歌い方をする人が出てきたなと思いました。もちろん、完璧な英語の発音と発声は宇多田さんの持ち味というのは言うまでもありませんが、宇多田さんの一番の特徴としては、息の力を歌に取り入れている事です。

息と言っても、普通に吸って吐く息ではありません。

宇多田さんの得意とする息の使い方は、吐いている時に声を出しているのではなく、時折吸

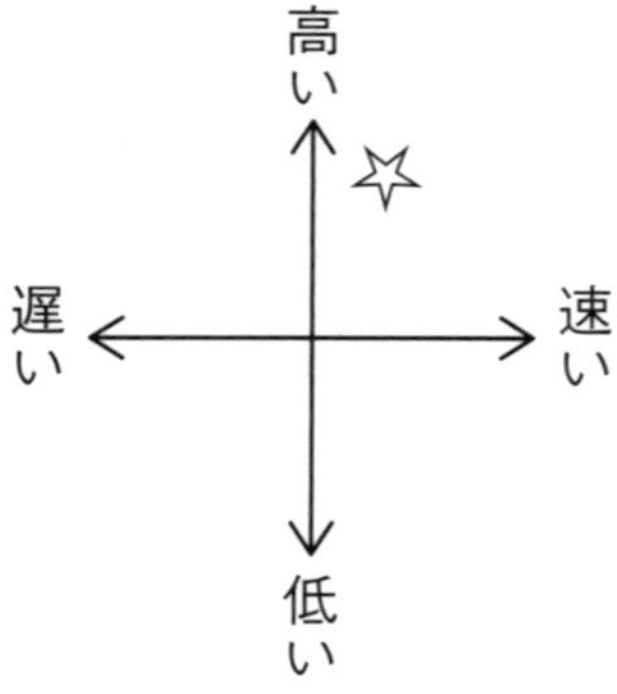

いながら声を出しているところが特徴です。

そうする事によって、歌の抑揚にさらに切なさが出て、歌の魅力は一層アップし、聴き手の心に訴える事ができます。そのようなテクニックを使う歌手は、今までの日本にはいませんでした。そんな事が宇多田さんの声にインパクトを与え、世の中にセンセーショナルをもたらした一因であると思っています。

『Automatic』を初めて聴いた時は、衝撃を受けました。この曲をリリースした時、宇多田さんは15歳！　15歳で音楽センスが完成されているのは驚きでした。その〝天才〟は、美空ひばりさんと同じです。

**●平井《ひらい》堅《けん》**

平井堅さんと聞いて思い浮かぶのは、綺麗なファルセット（裏声）での、ピアニッシモでの歌唱です。

もともと、女声でも男声でも、ファルセットで大きな声を出すのは簡単でも、ピアニッシモ（細くソフトで綺麗な音を小さく出す事）は、

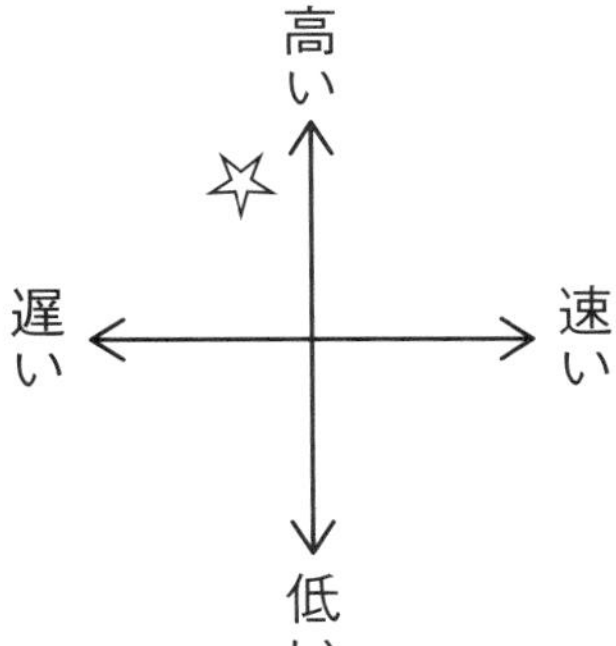

とても難しいのです。

なぜならば、大きな声は、ただ、腹式呼吸で取り入れた息を、そのまま全開で出せばいいのですが、ピアニッシモの場合は息の送り方を、少しずつ細く出さなくてはなりません。それには、腹式呼吸と息の出し方に上級のテクニックが要ります。

声楽家でさえ、ピアニッシモを美しく出すのはとても大変です。

しかし、そのテクニックがあるからこそ、歌に抑揚をつけ、メリハリをつけ、感情に訴える歌が歌えるのです。

平井さんは、まさにその上級のテクニックを身につけていると言えるでしょう。

### ●MISIA《ミーシャ》

ＭＩＳＩＡさんは、地声もファルセットもわりと自在に使い、苦手な音域はあまりないように思えます。声は少しハスキーがかっていて、これも大人の女性を感じさせる声で、彼女が歌う曲のイメージによく合っているのではないでしょうか。

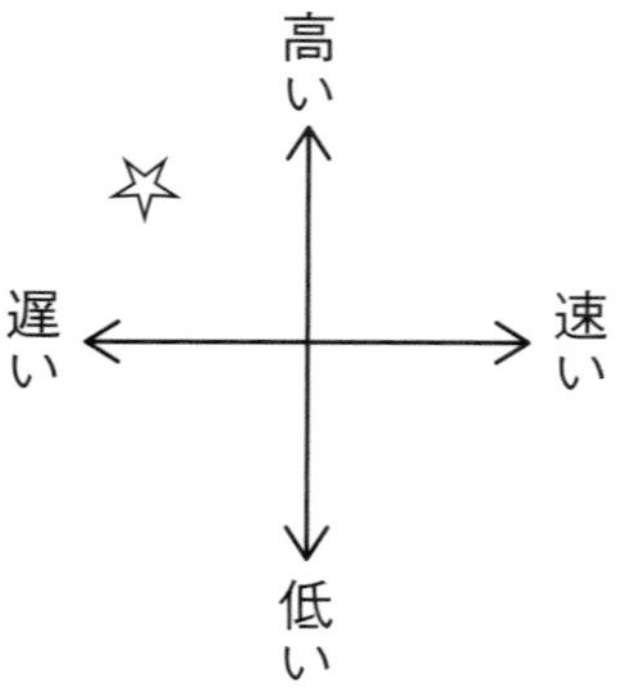

特筆できる事は、「あ」の母音を出す時に、少し、他の母音を出す時と喉の使い方が違います。

どういう事かというと、「あ」の母音を歌う時にだけ、下あごを突き出すような感じで喉の奥を広く発声し、「あ」の音を聴く時には、その音だけが広く深く聞こえるように計算されています。

この事が彼女の歌の個性を生み出し、また、独特な世界観をつくり出している一因だと言えるでしょう。

## 気になるスポーツ選手　羽生結弦

羽生結弦《はにゅうゆづる》選手は、オリンピックや様々な大会で優勝した経験を持つ、フィギュアスケート選手です。

演技の時の攻める姿勢と、リンクを降りた時の、やわらかな表情や話し方にギャップがあり、そこがファンの心をくすぐるという話もちらほらと聞くことがあるので、技術、人柄ともに、とても魅力ある人物なのではないでしょうか。

今回、ファンの方々に羽生さんの声についてお聞きできるチャンスがあったのですが、皆一様に、「耳にスーっと入って来る、やわらかい声」という表現をされていました。

声としては、確かにファンの方の言うように、スッと入って来る声をしています。

骨格を見ると、特に声を出すうえで有利な骨格はしていません。

しかし、スッと入って来る声の中に、何か芯のようにしっかりとした声があるのは、羽生さんがアスリートなので、お腹の筋肉や腹式呼吸に関して長けている事をうかがわせます。

もう一つの声の特徴としては、羽生さんの出す声は、3バージョンに分かれているという事です。

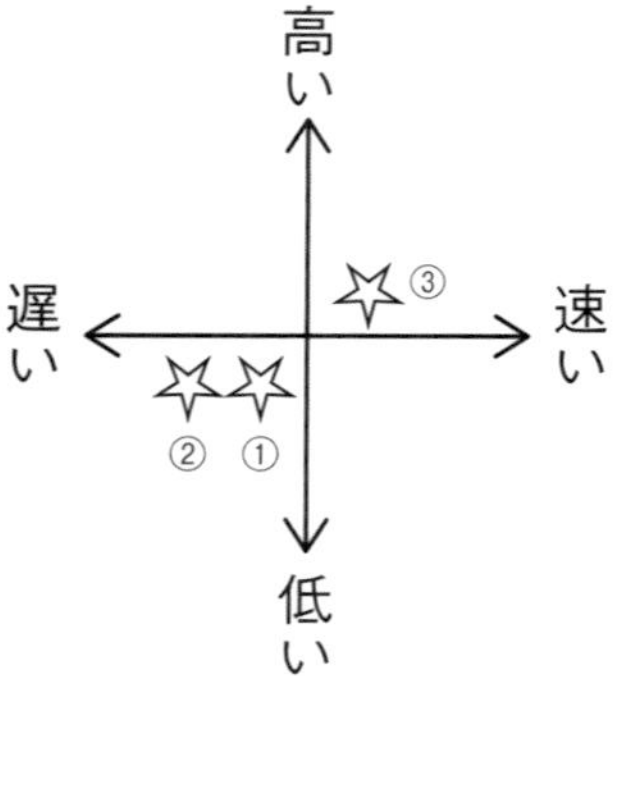


①記者会見時
記者会見などの公の場では少し低い声でハキハキと喋り、落ち着いた状態をうかがわせ

る声をしています。

②競技とは関係のない時に話す時

競技とはあまり関係なく、コロナが流行した時に、ステイホームを語りかけるメッセージ動画や、東北の地震の事や被災地の人に向けて話す時の、やさしく緩やかで、俗に言う癒し系の声。

③演技後

演技直後のインタビューの時の、少し早口で、声は高く、テンションも高めの声（この声は、競技後、息が上がっているために、胸式呼吸になって話しているのもあると思います）。

このような様々なバージョンを聞くと、決してつくった声ではなく、自然で、感情が声に現れやすいように感じ、この事から、とても素直に育ったのではないかという事がうかがえます。その素直な声が、演技以外でもファンの心を掴む、一つの要因になっているのではないでしょうか。

## 気になるジャニーズ　松本潤、亀梨和也

声だけでイケメンとわかるといわれている松本潤さん。そう言われる通り、かなりの良い声の持ち主である事に間違いはないでしょう。

松本さんの顔の骨格を見ると、頬骨が出ていて、エラもはっています。

その骨格によって、鼻腔も丁度よく使えて、じつにバランスの良い声をしています。松本さんのような声は、舞台でも映える声なので、ぜひ、そちらのほうの活躍も増えると良いなと思っています。

●松本潤《まつもとじゅん》

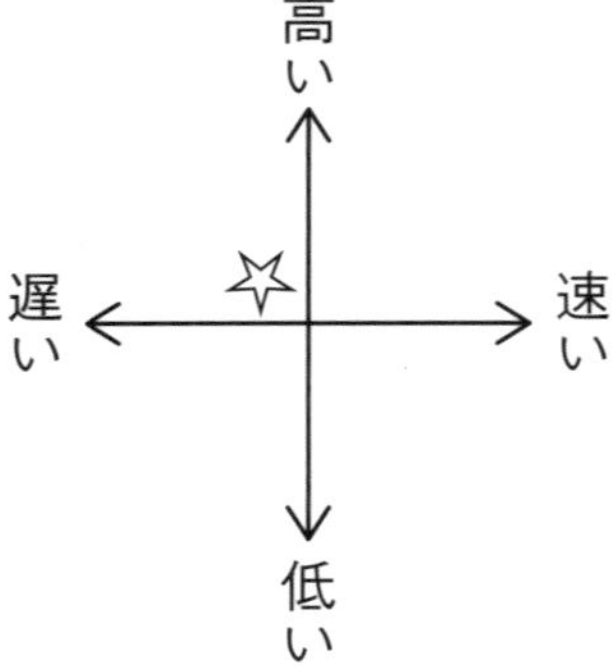

### ●亀梨和也《かめなしかずや》

声が色っぽいジャニーズランキング3位に入った事もある亀梨和也さんの声は、松本潤さんの声とは、また違う種類ではありますが、やはりイケ声（イケメン声）だと言えましょう。

亀梨さんの声に、世間が注目しだしたのは、「ストロベリーナイト・サーガ」というドラマでの役柄の声が、いつもの亀梨さんの出す声よりも少し低く、渋みがあり、好評だった事からだったと思います（もちろんファンの方はもっとずっと前から気がついていたと思いますが）。

一方で、ストロベリーナイト・サーガのエンディング曲にも使われた、『Ｒａｉｎ』という曲で、ささやくように歌う声にも定評があります。どんな声でも、良い声と思わせてしまう亀梨さんの声は、まさにセクシーなのかもしれません。

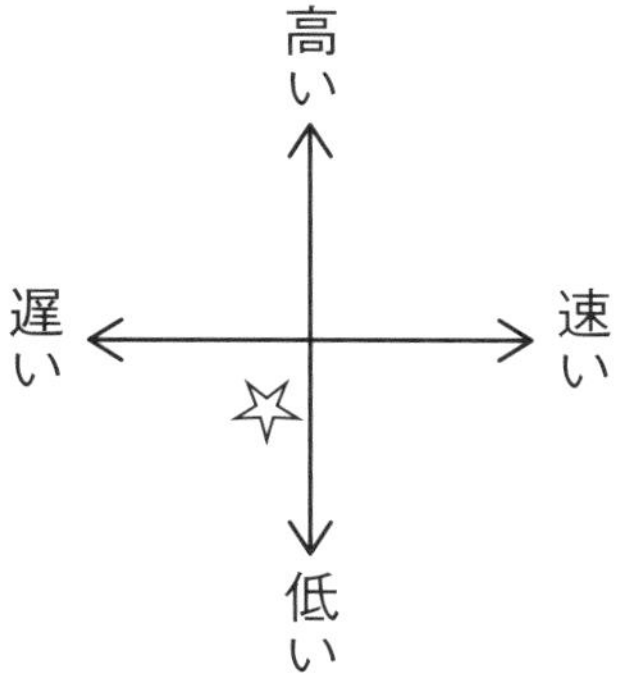

# 気になるタカラジェンヌ　明日海りお

２０１９年の秋に退団した、宝塚花組の男役トップスターの明日海《あすみ》りおさん。在団中は絶大な人気を博していました。

明日海さんの声を初めて聞いたのは、友人に、「中学の姉妹校の方が宝塚にいるのよ。観に行かない？」と誘われ、２０１１年の、「ＳＴＵＤＩＯ54」という舞台を観に行った時でした。その時の明日海さんは、組替え前の月組にいて、おそらく、２番手か３番手だったと記憶しています。

明日海さんの声を聞いた時に、「あの声だ！」と、私は衝撃を受けました。

「あの声」というのは、とても特殊な声で、一音の中に倍音（＊）を含み、一音の幅も広く、加えて、もともと潤いのある声なので、私はそのような声を「ぷるるん声」と勝手に呼んでいます。

私が、１回目に「ぷるるん声」を聞いたのは、学生時代でした。その方は、大変歌が上手く、倍音を含んでいて声に広がりがあり、とてもきれいなソプラノ（＊）の方でした。

そして、２人目が明日海さんでした。

私はまだ、この声を持つ３人目に出会っていません。それ程珍しい声なのです。

この声は、とてもコントロールが難しく、最初は音程が安定せず、安定させるにはテクニックが必要になってきます。

声を凧にたとえてお話しするならば、普通の人の凧が小さいサイズだとしたら、明日海さんの凧は、とても大きい凧なのです。空に揚げた凧は、小さければコントロールしやすいのですが、大きすぎると、風の抵抗が大きくなり、コントロールが難しくなります。その大きい凧をコントロールするためには、それなりにテクニックが必要になるのです。

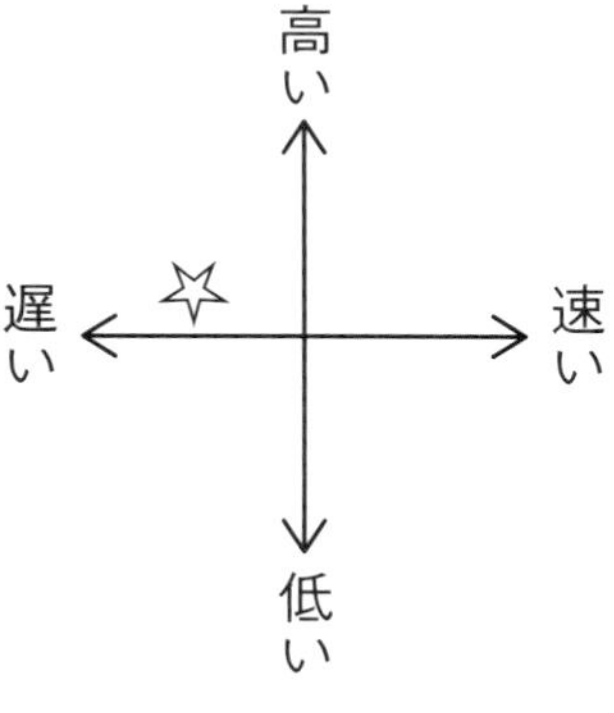


明日海さんの出す「ぷるるん声」も、コントロールするためには、普通の方よりも、体幹、腹式呼吸、それから、鼻腔の通る道を、しっかりと確定して声を出さないと、すぐに、大きな

凧が風を受けて、大きくぶれてしまうように音程がずれてしまう声なのです。
それゆえに、「ぷるるん声」の持ち主の歌のレッスンには特別注意が必要になってきます。

しかし、「ぷるるん声」を使いこなせれば、人を魅了する特別な声になれます。本当に貴重な声なので、２０１１年に明日海さんの声を聞いた時に、私は、「明日海さんは、ご自分の声がぷるるん声で、人と違う事をご存じなのだろうか？　この声は、とても貴重なので、慎重に大事に育ててほしい、普通の発声方法などはしないでほしい。あーこの事をお伝えしたい！」と思ったものです。

もちろんお知り合いでもないので、お伝えできなかったのですが、その時の声は、ダイアモンドで言うと原石だったので、この後、どんなふうな声になるのだろうと、凄く興味が湧きました。

それから、私の友人が明日海さんのファンであったので、いつもお誘いを受け、東京で上演される公演は、ほとんど全部観たと思います。

その間、明日海さんは、組替えもし、トップスターになりました。そして、昨年退団するまで、公演を観る度に、毎回、毎回、声に変化が見られ、どんどん自分の声を使いこなせるようになっていきました。

退団公演を観た時は、本当に男役の声として完成されていて、素晴らしい歌声でした。

宝塚を退団した今、男役の声と違い、今度は女性らしい声で歌う事も増えると思います。女性らしい声を出すという事は、男役の時に出していた声と、身体の使い方などが違ってくるので、ご自分の声をコントロールするのに、もしかしたら、ご苦労されるかもしれません。

しかし、女性らしい声になっても、もともと持っている「ぷるるん声」があれば、きっと綺麗な声になると思っているので、これからの明日海さんの声が、またどのように変化していくのかとても楽しみです。

（＊）

**・倍音**　出した音の周波数に対し、２以上の整数倍の周波数を持つ音の成分。本文の場合は、出した音以外の音も含まれること

**・ソプラノ**　女性の声の種類。大きく分けると、ソプラノ、メゾ、アルトに分かれていて、ソプラノは、その中で一番高い音域を指す

## 気になる政治家　安倍晋三、枝野幸男、小泉進次郎、麻生太郎、ドナルド・トランプ

政治家にとって、有権者の心を掴むためには、まずは政策かもしれませんが、自分のイメージをつくるためにも、話し声というのは特に重要です。声の能力がないと、自分の意思も伝わらないし、良い事はありません。

今回は、気になる5人の政治家を見ていきたいと思います。

### ●安倍《あべ》晋三《しんぞう》

総理大臣の安倍晋三氏は、政治家のキャリアも長く、何期も総理大臣をしているという、いわば政治家でいえばベテランです。

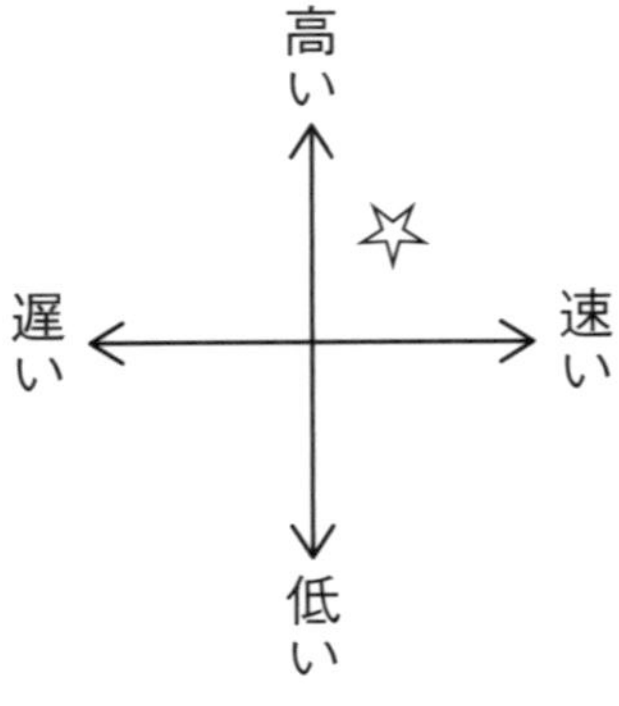

その安倍氏も、今は演説をする時には良く通る声で話していますが、１回目に総理大臣になった頃には、滑舌も悪く、今のように声も良く通りませんでした。ところが、経験を重ねるにつれ、そのウィークポイントであった声と話し方を、ここまで変えてきたのは、安倍氏が努力家であるという事の裏付けとも言えます。機会があれば、昔の演説の声と今の演説の声を比べて聞いてみる事をお勧めします。

### ●枝野《えだの》幸男《ゆきお》

立憲民主党の枝野幸男氏の声を初めて聞いた時、なんて良く通る、そして、なんて声で得している人なのだろうと思ったのを、今でも覚えています。

その特徴として、声も良いのですが、一定の音程で喋るというのが、枝野氏の特徴でもあり、人は音程が同じだと安心感を得られるので、さらに良いと言えるでしょう。

よく顔を見ると、頬骨もエラも理想的にはっていて、なるほど、もともと生まれ持った良い

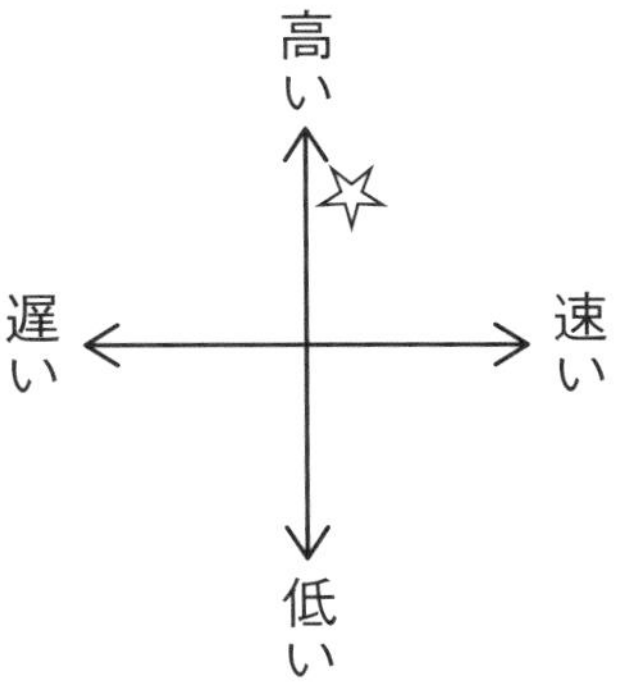

骨格のおかげで、良い声が出ているんだなという事がすぐにわかりました。

演説をしていると、「聞きたくなる声」というのが、どれほど政治家にとって、喉から手が出るほど欲しいものかは、言うまでもありません。

## ●小泉進次郎《こいずみしんじろう》

この方も枝野氏と同じく、政治家として、喉から手が出るほど欲しい声を持っている事に間違いありません。

枝野氏と違うところと言えば、一定の音程で喋らない声でしょうか。枝野氏は、一定の音程で話す事で相手に安心感を与えるのに対して、小泉氏は音程を変えている事で、若く勢いがある演説だという印象を聞き手に与えています。

これは、若い小泉氏だからこそできる手法で、ご自分の声を自分のイメージづくりに十分活かしていると言えるでしょう。

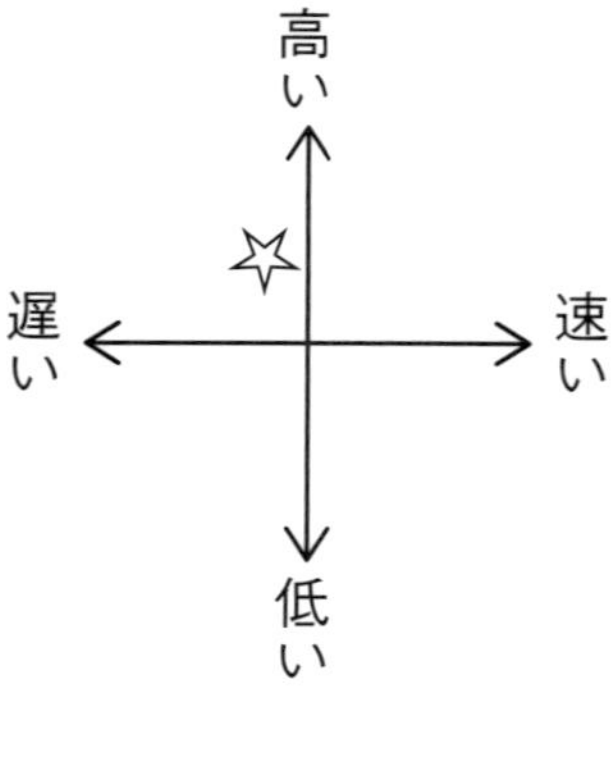

●麻生《あそう》太郎《たろう》

麻生太郎氏と聞いて思い出すのは、あの独特の声。

決して良い声とは言えず、どちらかというと、もう少し政治家向きの爽やかな声にはなれなかったんだろうかと思うかもしれません。

しかし、麻生氏に限っては、その見た目と声がピッタリと合っていて、あの声でいて、政治家として、失敗ではないと私は思います。

なぜなら、麻生氏と聞いて、あの声を思い出せるだけで、相手の印象には残り、声が良くない事が逆に「覚えてもらえる声」になったというのは、麻生氏にとっては、プラスに働いています。

これぞ、良く通る美声だけが良いわけではない、と思わせる声なのです。

ただ、この声は、声帯をしっかり閉じて話しているのではないと感じる事も少しあるので、ポリープ等の声帯のトラブルには気をつけてほしいと思っています。

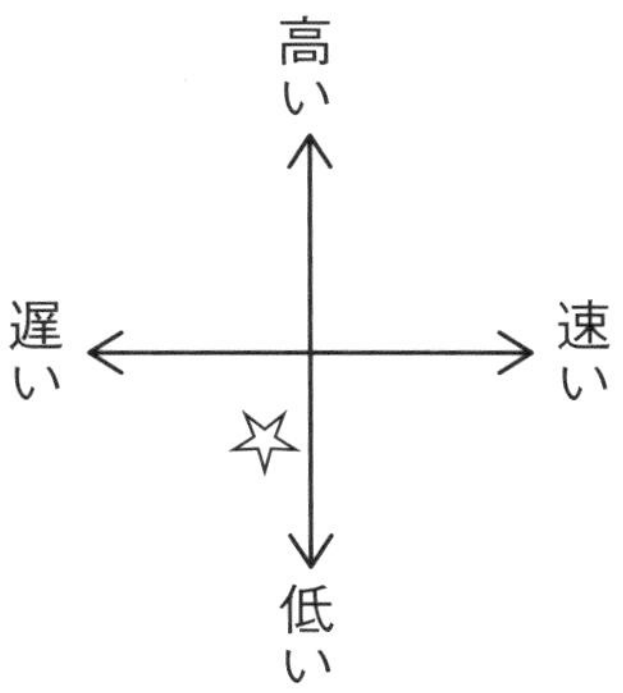

## ●ドナルド・トランプ

言わずと知れた、第45代アメリカ合衆国大統領。

彼の声には、計算された特徴があります。

演説でよく耳にする彼の声は高く、言葉も鋭く、年齢にしては肺活量も多く、とても力強い印象を受けます。それゆえに、有権者は彼の演説に耳を傾け、この人なら力強くアメリカを引っぱってくれるかもしれないと思うのです。

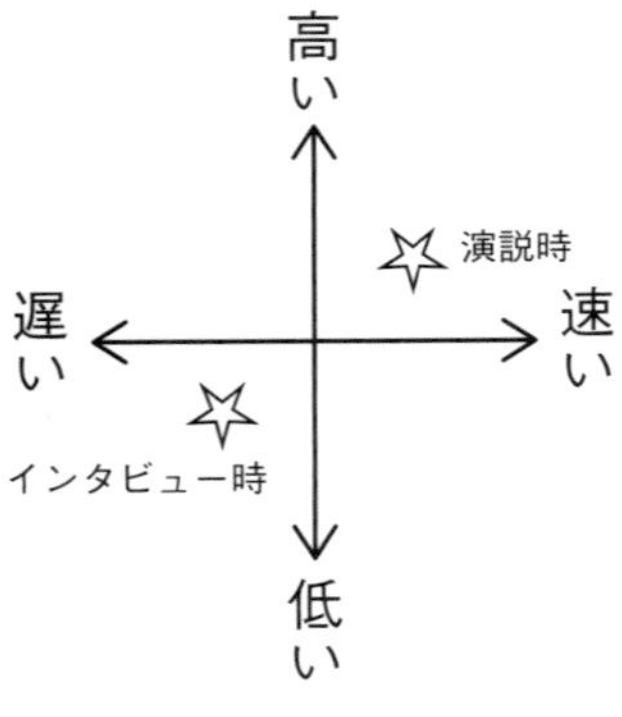


ですが、演説の時以外のトランプ氏の声はかなり違います。

普段、至近距離で話す声や、記者のインタビューに答える声は高くなく、どちらかというと低めで、そして穏やかに話すのです。

この声は、人の心に静かに入っていく力を持っており、知的さを感じさせる声でもあるので、記者や聞き手にとっては信頼できる声と言えましょう。

どちらの声が、本当のトランプ氏の声かはわかりませんが、確実にトランプ氏は、相手によって声を使い分けています。

アメリカは声の研究が進み、著名人には声の出し方のスペシャリストをつける事が多い国なので、きっと、トランプ氏にもスペシャリストがついていて、逐一アドバイスしているのだという事がうかがえます。

# あとがき

声には不思議な力があります。

私自身もこれまでの人生を思い出すと、人生のピンチの時には、いつも声に助けられてきました。

海外の日本人学校で友達に誘われて何気なくコーラス部に入ったのは、小学三年生の時。その時、声と歌の素晴らしさに衝撃を受け、夢中になりました。

帰国後すぐの小学六年生の時に、音楽の先生が私に大きな場での歌のソロを与えて下さった事から、私の音楽人生は始まり、自分のアイデンティティーを確立したように思えます。

それからずっと、「声」というものに向き合っていくうちに、自分の声を理解し、愛してあげれば、自分自身の弱い部分も補い、特に人間関係において、絶大な力を発揮し、人生を左右する力があるという事に気が付きました。

声がパーソナリティーの一部をつくり出している事は、まぎれもない事実で、その力は目に見えないので気づきにくいのですが、あなたが考えているよりもずっと大きな力を持っています。

そして、声を聴く事によって様々な事がわかり、選択に困った時は声を聴き、判断すれば、あなたをより良い道に導いてくれるでしょう。

**迷ったら声で決める！**

声の力を大いに役立て、本書が皆さまの幸せにつながれば嬉しく思います。

最後になりましたが、本書の執筆にあたり、温かく見守り、ご指導いただいた遠藤励起さん、斬新なアイディアをいただいた、さくら舎の編集長の古屋信吾さん、的確な方向性を示していただいた、さくら舎の編集の戸塚健二さんに、この場をお借りし、厚く御礼申し上げます。

２０２０年９月

清川《きよかわ》永里子《えりこ》

**著者略歴**
ボイストレーナー、音楽家、声楽家、音楽評論家、メンタル心理カウンセラー。四谷雙葉小中高等学校卒業。武蔵野音楽大学（声楽科）・東海大学大学院（音楽学課程）卒業。現在、自らの経験と知識を生かし、ボイストレーニング、人前で話す時の声の出し方等のセミナーを開催している。イープラスSPICE（スパイス）のサイトにて、音楽、クラッシック、舞台について執筆中。フランス革命についての連載「〈フランス革命ものエンタメ作品〉を楽しむための人物ガイド」をはじめ、クラッシック音楽の演奏会や、様々な舞台についての記事を書いている。 また、イープラスプレゼンツイベント『STAND UP! CLASSIC FESTIVAL 2018』についての記事も執筆した。
過去には朝日新聞デジタルでの連載「ベルサイユの音楽会」で、漫画ベルサイユのばらの時代、1789年前後のフランスの音楽事情について、3年にわたり執筆。その他、演奏会の企画発案と総合プロデュース、音楽劇の脚本も手がけ、クラッシック音楽の分野、「声」の分野を中心に、活動は多岐にわたる。

迷《まよ》ったら声《こえ》で決《き》める！

——感《かん》じのいい声《こえ》・力強《ちからづよ》い声《こえ》はつくれる

二〇二〇年九月一六日　第一刷発行

著者　清川《きよかわ》永《え》里《り》子《こ》

発行者　古屋信吾

発行所　株式会社さくら舎　http://www.sakurasha.com

東京都千代田区富士見一-二-一一　〒一〇二-〇〇七一

電話　営業　〇三-五二一一-六五三三　FAX　〇三-五二一一-六四八一

編集　〇三-五二一一-六四八〇　振替　〇〇一九〇-八-四〇二〇六〇

編集協力　遠藤励起

カバー写真　アフロ

装丁　アルビレオ

本文DTP　朝日メディアインターナショナル株式会社

印刷・製本　中央精版印刷株式会社



ISBN978-4-86581-262-6